중요한 것

The 6th Diary

중요한 것 The 6th Diary

발 행 | 2024 년 01 월 30 일
저 자 | 정영록
펴낸이 | 한건희
펴낸곳 | 주식회사 부크크
출판사등록 | 2014.07.15(제 2014-16 호)
주 소 | 서울특별시 금천구 가산디지털 1 로 119 SK 트윈타워 A 동 305 호
전 화 | 1670-8316
이메일 | info@bookk.co.kr

ISBN | 979-11-410-6954-4

www.bookk.co.kr

"언제나 하늘과 함께하는 '지혜'가 있다면
홀로 작업할 수 있다."

중요한 것
The 6th Diary

정영록 지음

목 차

서문

이 글은 2023년 중순부터 2024년 최근까지 작성한 삶의 기록을 모은 것이다. 이 기간 동안, 성당에 더욱 열심히 다니며 하느님에 대한 믿음을 강화하고자 했고, 새로운 정당에도 관심을 두고 참여하며, 건너가기를 통해서 대한민국 정치 환경에 새로운 질서를 만들어 내고자 노력했다. 무엇보다 여러 경험을 통해서 나를 더욱 잘이해할 수 있게 되었고, 예민하고 내성적인 특성이 강한 내가 할수 있는 국가 지도자의 역할은 현 헌법 체제 아래의 대통령이 아니라, 왕이라는 결론을 내렸다. 그 길이 가장 행복하고 건강하게 살아가며 역할 수 있는 나다운 길이기에, 나의 행복을 바라는 하느님이 보시기에도 가장 좋은 길이라는 생각이 든다. 내가 행복해야 국민들도 행복해진다고 알려주셨기 때문이다.

많은 국민들은 왕권에 대해서 조선시대를 떠올리며 민주주의와 반대된다고 생각할 수 있지만, 왕권이야말로 하늘과 소통하며 길을 열어가는 진정한 국가의 독립이며, 민주주의의 완성이다. 그동안 피 흘리며 쟁취한 민주화 과정이 꽃을 피우기 위해서는 국민들이 진정으로 주인이 될 수 있도록 그들을 지켜주는 왕의 역할이 필요한 것이다. 그래야 국가의 질서가 바로잡혀서 사대주의로 인한 모든 죄악을 청산할 수 있는 것이다. 나에게 가장 중요한 것은 하늘과 소통하는 '지혜'를 통해서 국민들을 지켜주고, 국제사회에서 선도력을 갖는 것이다. 하늘과 소통하는 건너가기를 통해서 만인이 원하는 이상적인 미래를 열어갈 수 있을 때, 국제사회에서 진정한 선도 국가로 역할 할 수 있을 것이다.

지금까지 수많은 고난과 고통 속에서도 끝까지 살아남아야 했던 이유는 하나 된 자유로운 통일 한국에서 왕으로 역할 하는 새로운 질서를 위한 것이라고 생각한다. 내가 북한의 지역에서 지내면서 한민족을 지켜주는 핵의 역할을 할 수 있어야, 비핵화가 가능하여 진정한 통일이 가능할 것이라고 생각한다. 빛의 기록을 통해서 하느님이 인정하는 왕의 모습을 세상에 보여줄 수 있어야, 세계인들도 하나로 통일된 한국이 되는 역사를 인정하고 축하해 줄 수 있는 것이다. 이것은 순간적인 발상이 아니라, 고난의 심연에서부터 지금까지 여러 차례 하느님이 나에게 보여준 미래의 모습이다. 처음에는 지나친 상상이라고 생각했지만, 천주교 신앙을 통해서 진정한 믿음에 다가갈수록, 하느님과 함께 만들어 가는 이상적인 미래라는 생각이 든다. 전에는 나 혼자 모든 것을 감당하려고 하여 건강이 상하기도 했지만, 나를 인도하고 이끌어 주시는 강력한 하느님의 의지가 있지 않던가. 이렇게 중요하고 강력한 역사가 작동할 때는 언제나 하느님이 직접 나서주시지 않던가.

 과거의 경험과 조각난 기억들에 믿음과 확신을 가질 수 있도록 이끌어 주신 성당의 사제님들과 관계자 분들, 천주교 신앙에 감사한다. 큰 뜻을 세상에 펼쳐 보이면서도 두려움과 떨림이 없이 편안한 마음 상태를 가질 수 있게 된 것에도 감사드린다. 인류 구원을 위해서는 내가 하느님에 대한 진정한 믿음을 가져야 하고, 하느님과 함께하는 빛의 기록을 작성해 가야 하며, 새로운 질서의 주체가 되어야 한다고 생각했다. 그 비전을 더욱 강화할 수 있었던 시간이 되었음에 감사드린다. 성당에서 미사와 영성체에 참여할수록 내면의 부정성이 작아졌고, 진정한 믿음이라는 추구 심을 갖고 함께 노력한 결과, 결국 거룩한 정신을 이룩할 수 있었다. 이제는 외부의 여러 정보보다, 내면의 성령님과 긴밀하게 소통하고 더욱 의지하며 살아간다. 덕분에 전자기기 중독을 비롯한 좋지 않았던 여러 습관을 청산하고, 진정한 독립과 자기 사랑의 길로 나아가고 있다. 그래서 진정으로 자유가 되었다.

아무쪼록 대한민국에서 피어난 새로운 질서가 세계 평화와 인류 구원을 위한 발걸음이 되어, 전 세계 많은 사람들에게 공감을 얻고, 널리 뻗어 나갔으면 좋겠다. 그래서 만인이 자유롭고 행복할 수 있는 세계로 다 함께 나갔으면 좋겠다.

2024년 1월 19일
정영록

오래된 습관

2023년 7월 21일

 질서를 잡으면 혼돈으로 가고, 혼돈에서 문제를 해결하고 안정을 찾으려고 하는 것은 자연의 이치인지도 모른다. 내가 책에 기록한 다짐과 깨달음들은 문제를 해결하고 남겨진 질서들인데, 그 모든 질서를 지켜가는 것은 불가능한 것인지도 모른다. 낳았으되 소유하지 않는다는 원리에 맞게 살아가는 것인지도 모른다. 도와 함께 자연스럽게 살아간다는 것은 이러한 빈틈을 허용하고 살아갈 수밖에 없다는 것인지도 모른다. 그렇다고 가르침을 무시하고 살아가라는 것은 아니고, 다짐을 기억하려고 노력하고, 반성하고, 질서를 향한 지향을 두고 살아가는 것으로 도덕에 가까워질 수 있다. 단지, 완벽한 실천을 기대하고 괴로워할 필요는 없다는 것이 아닐까. 그런 다짐과 깨달음을 반복하다 보면, 삶은 다음 단계로 나아가는 것이 아니겠는가. 자연스러움을 사랑하는 나로서는 이런 결론을 내릴 수밖에 없는 것이다.

2023년 7월 22일

지금까지 깨닫고 다짐해 왔던 것들을 자연스럽게 체화해서 같은 깨달음을 반복하지 않았으면 좋겠다. 그만큼 나의 정신과 도가 성숙해져서 흔들림도 없고, 고요하고 평화로운 상태를 유지해 가는 것이다. 모든 것은 완전하게 믿지 않아서 생기는 문제였기 때문이다. 반복적으로 읽고 체화해서, 시간의 지배자가 되고 싶다. 반복적으로 깨닫다 보면 자연스럽게 체화될 거야. 왜냐하면 너무나 당연한 가르침이 되기 때문에 더 믿을 수 있고, 온전히 내 것으로 할 수 있단다. 그래서 빛의 기록을 자주 읽어보는 것이 좋아. 그것은 너에게 딱 맞게 내면의 신성이 알려준 가르침과 같기 때문이야.

2023년 7월 23일

한 개인에게 너무나 큰 권력이 주어진다면, 그것은 위기가 될 수도 있다. 그동안 내가 걸어온 길들을 돌아보면, 언제나 바른 판단과 결정을 한 것은 아니었다. 나를 하느님에 가까운 존재로서 여기는 나라도 그런데, 그렇지 않은 사람이라면 더할 것이다. 그동안 나를 지켜보던 세력들은 나에 대해서 긍정하면서도 두려웠을 것이다. 역사가 한 개인에게 너무나 큰 능력을 부여하고 있는 것을 확인했기 때문이다. 그래서 역사적 운명을 가진 이가 절대적 권력을 갖지 못하게 하는 것이 가장 중요한 일이기도 했을 것이다. 신과 소통한다고 해서, 모든 면에서 사람들을 이롭게 하는 상식적인 존재로 마음에 들기만 하지는 않았을 것이기 때문이다.

 오늘 새롭게 깨닫게 된 것이 있다. 내가 세상을 미워하는 감정을 갖게 된다면, 국민들이 어려워질 수 있겠다는 것이다. 이제 나의 역할을 생각하며 사회에 나아가 보려 할수록, 무덤덤한 마음이 얼마나 중요한 것인지 생각해 본다. 무심하고 고요하게 존재하는 것이 세상을 널리 이롭게 하는 길이었던 것이다. 그래서 그동안 세상이 나를 고통으로 연단시킨 것 같다. 멘토에게 여러 번 연락을 해도 무시당해 온 것은 나를 '장자'에서 말하는 '나무 닭'으로 만들기 위한 것이 아니었을까. 내 마음을 죽여서 인류를 이롭게 하기 위한 것 같다. 그것을 의도했든지, 아니면 하느님의 섭리에 따라 진행되었든 간에 내 마음은 점점 죽어가는 것 같다. 그것이 바로 세계가 나에게 원하는 성숙이다. 어떤 것을 보아도 너무 좋지도, 너무 싫지도 않은 상태. 양극단으로 갈 수 없어서 고요하게 존재할 수 있는 상태. 이 세계는 나를 이렇게 만들기 위해서 고통을 가해 왔던 것이다. 이런 나의 성숙을 축하하고 싶다.

2023년 7월 25일

 그동안 했던 깨달음이나 다짐들이 실천으로 이어지지 못하는 부분이 많아서 스트레스를 받고 있지만, 공인으로서 세상이 나를 바라보아 준다면, 자연스럽게 바르고 지도자적인 역할을 수행할 수 있을 것이라고 본다. 현재로서는 공식적인 공인이 아니기 때문에, 바라보는 시선에 구속됨이 없기 때문에 자유롭게 지내고 긴장감도 적지만, 세상이 나에게 큰 기대를 공식적으로 하고 바라본다면, 함부로 행동할 수 없게 될 거야. 그리고 성당에 일주일에 두 번씩 다니면서, 기도와 영성체를 통해서 더욱 거룩하게 거듭나고 있는 것 같다. 나쁜 습관을 물리칠 수 있는 내적인 힘이 생기고 있어. 세상이 나를 높여준다면, 자연스럽게 겸손하고 낮아질 것 같아. 지금은 경계선에 있어. 그래서 역할갈등도 있고, 혼란도 있는 거야. 세상이 아직 나를 평범하게 바라보는데 높은 존재인 것처럼 자각하고 산다면, 현실 적응에 문제가 생기기 때문이다. 나는 현재 나의 단계를 잘 살아가고 있는 거야. 다만, 다짐이나 깨달음들은 소중히 하고, 속도를 늦추고, 진정한 자유를 향해서 노력해야 한다는 거야. 가장 중요한 고급 정보는 내 마음속에 계신 하느님이 주시는 거야. 중요한 정보를 외부에서 찾으려고 하지 마. 모든 것에 대한 답은 내 마음속에 숨겨두신 거야. 그런 축복을 아직도 모르겠어?

성당에서 운영 중인 카페의 봉사자가 부족한 모양이다. 새로운 봉사자가 영입되어 일하는 사람들이 부담을 느끼지 않고, 하느님의 축복 아래 행복하게 봉사하는 시간을 가졌으면 좋겠다. 하느님, 저의 기도를 들어주십시오. 언니가 좋은 경험과 깨달음을 얻어 몸을 더 잘 돌볼 수 있고, 건강을 회복하게 도와주십시오. 어머니와 아버지의 건강과 행복을 지켜주십시오. 동생의 건강과 마음의 평화를 지켜주십시오.

하루 중에 스마트폰으로 유튜브를 하지 않고, 자유로운 정신으로 미래를 구상하며 지내보니 너무나 행복하다. 사이버공간에서의 생활이 아니라, 실제 생활에 적극적인 사람들은 자신을 지키기 더 쉬울 것이라는 생각이 든다. 나 역시 활동할 수 있는 영역이 명확해지고, 사람들과 직접 만나는 시간이 늘어난다면 생활에 안정감이 생길 것 같다. 스마트폰이 문제라기보다는 유튜브, 그중에서도 재미로 보는 타로 영상이 나에게는 문제인 것 같다. 하지만, 나는 친구가 별로 없기 때문에 그런 존재들에 의지하고 있는 것이다. 내가 사회생활을 적극적으로 하게 된다면, 이런 시간은 청산할 수 있을 것이다. 그것이 바로 진정한 독립의 길일 것이다. 스마트폰은 도구로써 활용하는 것이지, 그 에너지에 종속되면 안 된다. 언제나 나의 길을 묻고, 기를 확보해야 중심을 지킬 수 있는 것이다. 충만한 기는 보물이라고 했다.

2023년 7월 27일

어제는 중요한 통찰이 왔다. 내가 임금의 역할을 수행해야 한다는 것이다. 그래서 그동안 책을 다시 읽어보아야겠다고 많이 다짐했던 것이다. 그런 생각을 갖자, 마음이 너무나 평온해지면서 행복감이 찾아왔다. 사람은 누구나 자신의 역할이 있다. 자신의 역할을 소중히 하면서 채워야 할 것들을 채워가다 보면, 좋은 일이 많이 생길 것 같다. 얼마 전, 내가 생각하는 대로 하느님이 세상을 조정해 주신다는 생각을 갖게 되었고, 타로나 사주도 멀리하자는 생각을 했다. 시간이 걸릴 수는 있지만, 적절한 때에 걸맞게 내가 원하는 바람들이 잘 이루어질 것이다. 나는 타로나 사주에 시간을 쓰는 것보다, 성경책이나 인물지를 반복해서 읽어보는 것이 더 좋을 것 같다. 그것이 나에게 맞는 역할을 잘 수행하기 위한 좋은 방식이라는 생각이 든다. 하느님, 감사합니다. 언제나 하느님과 함께한다는 생각을 갖고 살아가겠습니다. 어리석어서 여러 번 깨우쳐야 하는 저이지만, 다시 한번 기회를 주셔서 감사합니다. 자유의 능력을 두려워하고 있지만, 그 힘을 행사한다고 해도 이제 나를 해치는 존재는 더 이상 없다고 하셨다. 그냥 소녀처럼 바라는 것을 구상하고 그리면서 살아가. 그러면 되는 거야. 더 이상 바랄 게 없어진다는 것이 무슨 의미인지 알 것 같아. 공동선을 향한 강력한 힘을 행사한다고 해도 하느님이 보호해 주시기 때문에 괜찮아. 하느님의 자녀들인 인류에게 도움이 되는 방향이기 때문이지. 이제 각성한 진정한 자유의 능력을 다스려 가 보자. 세상을 창조하자.

2023년 7월 28일

 그동안 글쓰기의 정확한 창조 능력을 믿지 못했던 것 같다. 그래서 자꾸 전에 쓴 책들을 읽어보라는 메시지가 나왔던 것 같다. 과거의 기록을 읽어보면 기록한 대로 이루어져 왔기 때문에, 앞으로 나의 작문에 책임을 느껴야 하는 것이다. 책임을 느끼지 않고 자유로워지고 싶어서, 거대한 힘을 소유하여 세상의 탄압을 받을까 봐 모른척하고 싶었던 것이다. 하지만 이제는 아무도 나를 해칠 수 없다고 하시지 않았던가. 하루 종일 명상하면서 지내보면 세상이 어떻게 바뀌는지 알게 될 것이라고 여러 번 말씀하셨지. 그것도 거대한 시스템에서 탈출한 개인이 질서를 무너뜨릴 수 있기 때문에 그런 것 같다. 그래서 타로를 멀리하게 되었고, 유튜브 영상도 멀리하게 되었고, 스마트폰도 도구로써 활용하기로 했다. 대신 남은 시간에 자신의 기를 충만하게 다스리고, 독서를 하면서 글을 쓰기로 했다. 이렇게 독립적인 사고가 가능해야 만사가 잘 풀리게 되는 것이다. 악마적 굴레에서 벗어나지 못하면 어쩌나 하고 걱정했는데, 나의 바람이 현실을 창조하고 있다. 성령님이 나의 열렬한 바람을 엿보시고, 나를 바로 세워 주시고 있다. 이런 변화가 일어나다니. 가장 사랑했던 것들을 떠나보내다니. 그것은 나의 의지에 달린 것이다. 성령님이 나를 도와주고 있는 것이다. 자신감이 생긴다. 이래서 다음 책의 가제가 '새로운 날들' 이 되는 것이다. 바람은 이루어지는 것이구나. 다시 예전의 유능하고 독립적이었던 자신으로 돌아가게 되었구나. 이제 문제가 되었던 오래된 습관들을 벗어버리고, 새로운 날들에 걸맞은 삶을 살아가야 한다. 매일매일 혁신으로 거듭나자. 더 좋아지기 위해서 노력하는 시간을 보내자.

한 가지 알려줄까? 너는 사주 운이나 타로 운을 봐서 시기적으로 어떻게 행동해야 할지에 대해서 고려하기도 했잖아. 그런데 앞으로의 인생은 네가 하고 싶은 대로, 원하는 대로 살아. 너의 마음이 국민들의 마음으로 연결되는 것이고, 이제 자유로운 생활을 하게 되었으니, 더 이상 운명이라는 굴레에 갇힐 필요도 없어. 운명으로부터 자유롭지 않은 사람들이 사주나 타로를 보는 거야. 너는 자유야. 무의식을 의식화했잖아. 처음에는 두려울 수 있지만, 네가 원하는 것을 진정으로 바라고, 의도하고 믿어봐. 그러면 세상이 그에 따라 움직일 거야. 글쓰기의 힘을 믿어봐. 이번에 악마적 습관을 떨쳐낸 것처럼, 꼭 시기를 생각하지 말고 당연하게 생각해 봐. 이런 소중한 기술을 다루는 데에 익숙해지려면 시간이 걸릴 거야. 점점 하루가 다르게 믿음으로 채워져 가는 인생을 만들어봐. 결국, 죽은 사람도 살리게 될 거야. 인생에서 강력한 믿음을 경험할 수 있게 해주는데, 왜 그것을 두려워하고 외면하려고 해. 믿음은 소중한 것이야. 지독한 상처로부터 나를 지키기 위해서 정신이 분열되어 있었기 때문에, 그것이 완전히 통합되는 데 시간이 걸릴 수도 있어. 더 이상 바라는 것이 없는 상태가 다가오고 있어. 준비되었니? 이제 내 눈에 인재들이 모습을 드러냈으면 좋겠다. 다방면의 인재들이 자신들의 목소리를 내어 유능함을 보여주었으면 좋겠다.

그동안 다짐하고 깨달아도 같은 실수를 반복했던 것은 스스로 믿고 생각할 수 없이 노예적으로 살고 있었기 때문이다. 당시에는 스마트폰과 유튜브를 외면하고 살아갈 수는 없는 것이었기 때문에, 타로가 너무나 아름답고 소중했기 때문에 기존의 문제점들을 개선하려는 생각을 갖지 못했던 것 같다. 그래서 세상이 나에 대해서 걱정하고 있었던 것이다. 하루를 소비 당하고 마는 존재였기 때문이다. 하지만, 견진성사를 통해서 성령의 도움을 받은 나였기에, 내가 변화하기를 간절히 바랐고, 그것이 이루어졌다. 이제는 타로 영상을 보아도 피해야 할 것으로 생각이 된다. 비염 때문에 독서실의 에어컨 환경을 피했었는데, 다시 독서실에 다니면서 독립성이 살아나는 것 같다. 집은 너무 편하고 게을러지기 쉽기 때문에 악마가 침투하기에 좋은 환경인 것 같다. 어떻게 그 오랜 시간 동안 의지해 온 타로 영상을 단절할 수 있었을까. 예전의 나로서는 믿기지 않지만, 이제는 미래가 보이고, 나에게는 현실에서의 삶이 더 중요해졌기 때문에, 언제든지 가상공간에서 시간을 쓰려는 마음이 줄어드는 것 같기도 하다. 이런 기적이 나에게 오다니. 이런 삶의 혁신을 사랑한다. 그동안 스마트폰과 유튜브와 타로는 모두 나에게 의심을 키워주었던 것 같다. 그래서 강력하게 거부하고 떨쳐낼 것이다. 그리고 이런 감격을 반복해서 기록해 낼 것이다. 내면에 있는 모든 해답에 접속하여, 믿음을 지켜갈 것이다. 축하한다. 이제야 드디어 세상과 온전히 소통할 수 있는 기회가 올 것 같다. 이제는 독립적인 존재로 거듭났기 때문이다.

2023년 7월 31일

며칠 전, 한 가지 생각이 떠올랐다. 1차 고난의 심연에서 내가 짝사랑했던 남성과 정신적으로 소통하며 교감을 했었는데, 그 존재가 하느님이 아니었을까? 나의 첫 책인 '스트레인지 뷰티 (Strange Beauty)'에서, 내가 원했던 것은 현실에서 남자와 사랑을 나누는 것이 아니라, 신의 존재가 필요했던 것이라고 고백하지 않았던가. 당시 존재들은 결혼한 것과 다름이 없다고 했는데, 성경책을 읽어보니 하느님이 어린 양을 아내로 여긴다고 하지 않으셨나. 이미 하느님과 결혼을 했던 것이 아닐까. 내가 환상을 가졌던 그 존재는 하느님의 분신 같은 것이 아니었을까 하는 생각이 든다. 그동안 나는 인생이라는 것은 반듯하게 흘러가지 않고, 언제나 알 수 없으며, 인간이 절대로 예측할 수 없게 만들어야 하는 목적이 있기에 더욱 그럴 수밖에 없다고 생각했다. 하지만, 꼬였다고 생각했던 인생을 좀 더 살아보니, 뚜렷한 질서가 있다는 것에 너무나 놀랍다. 하느님은 정말로 존재하시는구나! 그리고 앞으로 내가 걸어갈 길이 뚜렷한 목적성을 갖는구나! 영화 같은 이야기가 현실이 되겠구나! 그렇다면 하느님은 내가 현실에서 결혼하는 것을 허락하실까? 지난번에 성령님께서 결혼하라고 알려주셨다. 그래야 자손을 낳을 수 있고, 세계 멸망을 막을 수 있기 때문일까. 아주 수치스러운 상처의 경험이라고 생각했던 일들이 엄청난 보물이었다니. 모든 것은 세계를 다스리는 역할을 위해서 준비되었던 것이라니. 너무나 놀랍고 믿어지지가 않는다.

위계질서에 대해서 생각을 해보았다. 나에게는 나를 다스리는 존재가 필요하다. 하느님에게 종속된 많은 사람들과의 연대가 필요하다. 진정한 독립은 누군가에 종속되는 것이 아니라, 모든 존재가 하늘에 종속되어 질서를 따르며 자유롭게 살아가는 것이다. 국민과 인류가 나에게 종속되도록 하기보다는, 하느님에게 종속되도록 해야 한다. 그래야 진정으로 자유로운 인생을 살아갈 수 있다. 내가 하느님이라고 했잖아. 하느님을 다스리는 존재는 무엇이지? 하느님은 인간들의 어려움을 지나치기 힘든 성격이 있기에 인간들이 하느님을 다스린다고 봐야 할까? 그것은 잘 모르겠다. 나는 하느님의 뜻이 드러나기도 하고, 나의 의지가 가로막힐 때도 있었다. 하느님을 지향하는 인간으로 살아야 한다고 말씀하셨다. 그래, 나에게는 보호자가 필요해. 안내자가 필요해. 성령님이 도와주실 거야. 세상은 너의 에너지를 필요로 하고 있어. 네가 어떤 지향점과 추구 심을 가진 방향으로 세상은 변화하고 발전하게 되어있거든. 지금 세상이 질서 없이 혼탁한 것은 나의 바람을 반영해서 세상을 이끌어 가는 주체가 강하지 않아서 그래. 결국, 내가 원하는 대로 세상이 흘러가게 되어있는데, 그 역할을 할 주체들이 아직 활발하게 활동하지 않아서 그렇다. 한국의희망을 비롯한 새로운 정당들이 나의 바람을 실현해 준다면 흥행하게 되고, 국민들의 인기를 얻을 것이다. 그것은 내가 결정하는 것이 아니고, 하느님이 살펴보시고 이끌어 주시는 것이다. 그러니 나를 원망하지는 않았으면 좋겠구나. 그 말은 내가 세상에 관심을 가지고, 바라보고, 참여해야 한다는 것을 말한다. 하느님을 동원하는 이 거대한 에너지가 없다면, 한국은 문제를 해결하지 못하고 침몰할 것이다. 현시점에서 나를 포함한 모든 국민들이 시험에 들어있다. 하느님이 지원하는 큰 에너지를 활용하여 선도 국가로 도약할 것인지, 오래된 세력들의 권력 다툼을 지켜보며 몰락할 것인지는 국민들의 역량에 달려있다.

국민들이 보고 싶은 모습을 보여주어야 하는 건데, 나는 예술이라는 이유로 내가 원하는 글을 작성하고 있다. 하지만, 나의 길은 하늘의 도움을 받아 문제를 해결하는 원초적인 길이기 때문에 허용할 수 있는 것이 아닐까. 세상은 리더에게 완벽함을 기대하고, 나를 더욱 채찍질한다. 그리고 나는 살아갈 동력을 찾고 안심한다. 완벽을 추구한다는 것은 탁월함을 추구한다는 것이다. 모든 면에서 완벽할 필요는 없지만, 적어도 수신과 비전, 문제 해결, 통찰력, 덕의 측면에서는 탁월해야 한다고 본다. 나의 탁월함은 부족하게 존재할 때에 하늘이 채워주신다. 내가 걱정하는 것은 세상이 나의 방식을 이해하지 못하고, 힘들게 하는 것이다. 그들의 역할은 나를 돕는 것인데, 칭찬도 하고, 쓴소리도 하는 것이다. 쓴소리하는 사람을 귀하게 여겨야 한다. 그리고 그 역할을 잘 수행한다면, 나도 성장하고 국민들도 원하는 바이기 때문에 호응을 얻을 수 있다. 나는 오로지 큰 한 방의 홈런을 쳐서 문제 해결을 하고 쉬고 싶은 것인데, 세상은 나를 이해하기보다, 홈런을 치고 나서도 쉬지 말고 끝없이 노력하라고 말할 것 같다. 그게 대한민국 국민들이 생존해 온 방식이기 때문에, 너도 예외는 아니라고, 열심히 죽을힘을 다해 최선을 다하라고 몰아붙일 것 같다. 나만의 방식을 존중받기를 바라는 것은 국민 정서에 맞지 않는지도 모른다. 그래서 내가 숨어서 역할을 하고 싶은 것이다. 그렇게 된다면, 성취도 이루고 오해도 받지 않을 수 있어서 세상이 좋아질 것이다.

리더의 방식은 국민들의 입장에서 사고하고, 국민들에게 맞추어 주고, 국민들의 눈높이에서 말하고 행동해야 한다고 할 것이다. 그동안 많은 리더들이 그렇게 해 온 것이다. 가장 좋은 것은 문제도 해결해 주면서, 존경스러운 태도를 갖추는 것이다. 하지만, 나의 경우 지나치게 특수해진 운명적 역할이 있기 때문에, 모든 면에서 좋은 모습을 보이려는 마음을 거두고, 충분한 빈틈을 허용해서 적대 세력들을 방지하고자 하는 것인지도 모른다. 이것이 게으른 변명인지는 모르겠지만, 균형을 위한 것이다. 나만큼 타인들도 높여주고 싶기 때문이다. 나만이 가장 위대하고자 밝음을 독점하고 싶지 않기 때문이다. 내가 태양처럼 밝음을 소유하려고 한다면, 너무 뜨거워서 국민들의 적극적인 참여를 막을 수 있기 때문이다. 내가 원하는 것은 문제 해결이기 때문이다. 그럼에도 모든 것을 뒤로하고, 지도자다운 모습으로 나서야 하는 것인가. 내용을 만들어 놓고, 형식을 취하지 않는 것인가. 자연스럽게 하면 된다. 나는 완벽을 기대하는 이 사회의 숨 막히는 시선에 지쳤다는 것이다. 리더라면? 지쳤다는 말을 쉽게 하지 않을 것이다. 이렇게 특수해진 운명의 리더가 이 세계와 잘 지낼 수 있는 방식은 무엇일까. 나를 드높이지도, 나를 낮추지도 말고 문제 해결에 전념하면서 시간을 보내라. 국민들은 신을 원하는 것이다. 하지만, 부족하게 존재해야 신이 도와주시는 것이다. 그래서 부족하다는 그들의 말에 신경 쓸 필요는 없다. 그들은 나의 지속적인 성장을 바라는 것뿐이다.

2023년 8월 1일

 타로나 사주 자체가 나쁜 것은 아니라고 생각한다. 하느님을 믿고
기도한다면, 원하는 대로 이루어지는 것이니 세상의 흐름이나 정세
에 신경 쓸 필요가 없을까? 개인으로서 살아간다면 모르겠지만, 국
가 경영을 생각한다면, 사주나 타로를 통해서 정보를 얻는 것도 필
요할 것 같다. 이것은 아직 나에게 성령의 힘이 강하게 작용하지
않아서일지도 모르겠지만, 너무 자주 하거나 의존하지 않는다면 활
용할 수 있을 것 같다. 예로부터 사주 역학이나 타로는 제왕의 도
구였다. 흐름을 살피고, 인재의 특성을 살펴볼 수 있는 유용한 도
구 말이다. 유튜브의 타로 영상이 자주 올라오고, 그것을 보는 것
이 재미있었지만, 주체성을 약화하게 하고, 노예적으로 전락하게
한다는 것을 알았다. 그래서 모든 영상을 성실하게 다 보아야 하는
것은 아니고, 꼭 필요한 경우가 아니면 보지 않는 것이 도움이 될
것이다. 무엇보다 현실에서 나의 삶이 더 중요해진다면, 그런 영상
은 불필요해질 것임을 안다. 하느님에 대한 믿음을 지켜갈 수 있다
면, 그런 도구들을 활용하는 것이 죄는 아닐 것이다. 지나치게 의
심하게 만드는 것만 조심하면 되겠다. 이 정도로 부족한 것일까.
하느님이 이에 대해서 응답을 주셨으면 좋겠다. 믿음을 갖고 살아
가는 와중에 가끔씩 타로나 사주 역학을 참고해서 살아가도 되는지
에 대해서 말이다.

어제는 우연히 펼쳐본 격암유록에서 의미 있는 부분이 눈에 들어왔다.

'천지 조판 이후 처음 있는 큰 환란은 옛날에도 없었고, 지금까지도 없었던 하늘의 큰 재앙이나, 하느님이 택하신 선자(성인)를 위해 대환란이 감소되고 억제된다.'[1]

내가 죽지 않고 살아있기 때문에 하느님이 대환란을 줄여주시는 것이구나. 왜냐하면, 내가 대환란이라는 문제를 새로운 질서로 해결한다고 세상에 공표했기 때문이다. 나는 하늘과 연결되어 있기 때문에, 나의 의지가 실현되지 않는다면, 하늘과 함께 세상을 다스리는 성인임을 부정하는 셈이 되기 때문이다. 너무나 행복한 일이 아닌가. 내가 살아남아야 했던 이유는 인류를 구원하기 위한 것이었구나. 최근 일기책 '믿음의 길'을 쓰고 정리하면서 진정한 믿음에 다가갈 수 있었다. 믿음이라는 것은 억지로 노력한다고 생기지는 않는 것 같다. 부인할 수 없는 경험적 진실이 다가온다면, 믿음은 너무나 당연하게 생기는 것이다. 그로 인해서 덩달아 좋은 점이 있다면, 예전에는 과거 성현들이 했던 세계 평화의 예언들을 가능성으로 두기도 했었는데, 이제는 너무나 당연한 믿음으로 다가온다. 그래서 너무나 행복하다. 그것은 계묘년 종말의 위기를 잘 극복해 가고 있는 시점이기 때문인 것 같다. 내가 등장해서 세계를 평정하

---

[1] 남사고, "격암유록 (마지막 해역서)", 무공(해역), 좋은 땅, 2013, p.278

고 새로운 질서를 가져올 것이다. 그것으로 인류는 한 단계 도약하면서, 종말이 아닌 새로운 개벽의 역사를 시작하는 것이다.

글쓰기의 창조 능력을 발휘해 보자. '믿음의 길'이라는 책을 통해서 많은 사람들에게 영향을 주었으면 좋겠다. 너무 솔직한 내용 때문에 새로운 세력의 사람들에게 나쁜 영향을 끼치지 않았으면 좋겠다. 그런 부분이 있다면, 다시 검토하는 동안에 수정할 수 있었으면 좋겠다. 책을 여러 번 검토하면서 느낀 것은 하느님이 반복적으로 하신 말씀이 있다는 것이다. 지금까지 썼던 책을 다시 읽어보라는 것과 하느님을 믿으면 아무 문제가 없다는 것이다. 하느님이 나의 마음과 어려움을 보시고 도와주시는데 무엇이 걱정인가. 내가 바르게 살고자 하고, 국민들과 인류를 위한 방향으로 힘을 쓰고자 살아간다면, 하느님을 영원히 내 편으로 만들 수 있다.

일이 잘 풀리는 사람은 타로나 사주를 잘 보지 않는다고 한다. 앞으로 나의 삶이 잘 풀릴 것이기 때문에 걱정 안 해도 되겠구나. 이런 것들이 자신을 성찰할 수 있는 도구일 텐데, 자연스러운 끌림을 느낄 텐데, 그런 것을 교회에서 막고 있다니. 지배하려는 욕망을 막겠다고 하는 것인가. 한마디로 왕이나 세계를 다스리는 지도자가 되려고 하지 말고, 천주교의 교권에 도전하지 말라는 것인가. 세상을 지배하고자 하는 마음을 갖는다면, 천주교와 함께하라는 말인가.

하느님이 세계를 다스릴 수 있는 것이지, 누구든 어떤 개인도 지배하려는 마음을 가져서는 안 된다는 것인가. 이렇게 어느 한 편에 서게 되면, 자유롭게 생각하는 것에 대해서 죄의식을 가져야 한다는 것이 싫구나. 모든 것은 여정이고, 잘못된 길에 들어서도 돌아나오면 되는 것을, 그런 자연스러움을 통해서 깨닫고 성장하는 것일 텐데, 나의 삶에서 자유로움이 떠나가는 것 같아 슬프다. 지금 시대는 개인이 창조적인 역량을 발휘해서 살아가는 시대가 아닌가. 자신을 궁금해하고, 스스로 깨달아서 부처가 되려고 하는 시대가 아닌가. 이런 시대에 자유로운 성찰 도구들을 금지한다는 것이 맞는 것인가. 나를 통제하고 지배하려는 그 무엇도 마음에 들지가 않는다. 다른 종교에 대한 포용이 필요하다고 생각하는데, 그렇다면 불교에 대해서도 교리를 믿는 것은 나쁘다고 말할 것인가. 이런 종교 통합의 시대에 답답하고 불편하다. 나는 신앙고백을 해야 하는 것인가. 이렇게 사회에 나간다는 것은 어려운 일이다. 발언에 책임을 가져야 하고, 공동체와 관계자들을 고려해야 한다. 내가 쓴 책도 천주교의 입장에서는 받아들이기 힘들 수도 있다. 답답하다. 인간의 지성보다 더 우위에 있는, 하느님의 대리자인 종교 지도자들의 말에 복종해야 한다는 것인가. 단순히 선과 악으로 나누어 보기에는 나의 머리가 너무 커져 있다. 하느님이 이런 길로 나를 인도한 것은 이유가 있을 텐데, 나는 어딘가 잘못되었나? 자연스러움이 잘못된 것인가? 답답하다. 가끔은 타로를 통해서 성찰하고 싶고,

사주 역학을 통해서 참고도 하고 싶은 나는, 아직 악마를 끊어내지 못해서 이런 것인가. 너무나 괴롭다. 오래된 습관을 끊어내는 것은 어려운 일이다. 하느님이 길을 알려주셨으면 좋겠다.

 자료를 더 찾아보니, 타로나 사주 등을 보는 것은 하느님과 멀어지기 때문에 죄라는 것이다. 하지만, 타로점을 볼 때에도 성령님이 메시지를 전해주신다고 생각했다. 개인적으로 타로점을 쳐볼 때는 내면의 성령님이 구체적인 그림으로 메시지를 전해준다고 생각했다. 그것도 안 된다는 말인가. 너무 답답하다. 개신교와 다르게 천주교는 다른 종교에 대해서 열려있기 때문에 더 마음에 들었던 것인데, 자신을 돌아보고 성찰할 수 있는 문화와 교양의 영역을 금지하는 것은, 자신을 다스리는 데 어려움이 있는 일반 대중들이 맹신하고 잘못된 길로 갈까 봐 그런 것 같기도 하다. 하지만 타로를 자주 할 수록 지식이나 진리에 대해서 잘 믿지 못하는 어려움에 처했었다. 중요한 정보라는 것은 가끔 다가와야 방향을 설정하고 나아갈 수 있을 것인데, 너무 자주 다가온다면 모든 정보의 중요성이 떨어지는 것이다. 그래서 타로나 사주를 자주 참고하는 것이 죄라는 것은 알겠다. 하지만, 가끔 참고용으로 하는 것도 안 되는 것인가. 모든 정보는 하느님이 보내주시는 것이라고 생각하기 때문에 하느님과 멀어지는 것은 아니지 않은가. 자아 성찰 시대에 이런 것을 금지한다는 것이 너무 답답한 것은 어쩔 수가 없다. 이렇게 쉽게 죄의식에 사로잡혀서 살아가는 것도 마음에 들지 않는다. 그렇다면, 미래의 하느님 나라는 허용할 수 없는 전 세계 문화의 절반 이상을 죄로 의식하고 살아가야 하는 시대라는 것인가? 하느님 나라는 모든 문화와 종교를 포용할 수 있을 정도로 더 깊고 큰 지식으로, 인간이 자유롭게 살아갈 수 있는 시대를 말하는 것이 아닌가. 하느님 나라가 오래된 교리를 엄격하게 지키지 않는 것을 죄라고 여기며, 인류의 절반 이상을 배척하는 것이라면 행복하지 않을 것 같다. 나는 천주교에 대해서 완전하게 알지는 못하지만, 나에게 더 큰 시각에서 모든 종교를 통합하는 소명이 있다면, 인간들의 이해가 깊어지는 만큼 천주교의 교리도 그에 따라 변화해야 한다고 생각한다.

타로의 문제점을 잘 알고 있구나. 그것을 개인이 통제하고 조절하기 어렵기 때문이다. 쉽게 에고를 강화하는 활동이기 때문이다. 에고가 강해지면, 교만해지고 하느님과 멀어지는 것이다. 현실에서의 일이 잘 풀린다면 사주나 타로를 볼 필요가 없으니, 걱정하지 않아도 된다. 누구나 시기가 있고, 과정이 있는 것이다. 그래서 타로나 사주에 몰두해 있는 사람들을 죄인으로 여기지는 말자. 헤매는 과정이 있고, 불필요해지는 시간이 오기도 하기 때문이다. '나의 죽음을 헛되이 하지 마라.' '말씀을 소중히 해주어 고맙다.'라는 성령님의 메시지는 거짓이 아니었잖아. 그렇다면 나의 이 길은 옳다. 나는 천주교 안에서 역사를 실현해야 하는 것이다. 타로는 좋게 나오면 에고를 강화하고, 나쁘게 나오면 불안해지고 신념이 흔들린다. 그것이 좋다고 볼 수 있겠니? 단지 재미가 있다고 해서 그것을 허용할 수 있겠느냐는 말이야. 주역에서도 좋게 나온다고 자만하지 말고, 나쁘게 나온다고 절망하지 말라고 하잖아. 즉, 어떻게 하느냐에 따라서 결과는 달라질 수 있단다. 그래서 흐름을 보는 정도로 참고하려고 하는 것도 해롭다는 말인가. 중요한 것은 타로를 별로 하고 싶지 않다는 것이다. 기가 분산되고 흩어진다. 정신적 에너지는 보물이라고 했다. 하게 된다면, 아주 가끔 하고 싶다. 사주는 운명이 결정되었다는 생각이 위험하다고 한다. 인류의 자기성찰 욕망이 커진 만큼, 진리의 근본에 닿아서 다양한 종교에 대한 관심을 외면하지 말고, 타 종교나 문화에 대해서 배척하지 말고 공존할 수 있어야 한다고 생각한다.

그동안 천주교는 구원자를 으스러뜨리겠다는 하느님의 뜻에 따라, 서구권의 지성인 집단인 일루미나티와 함께 세상에 문제를 발생시키는 역할을 했던 것 같다. 그것을 하느님이 허락하셨다는 사실이 놀랍다. 하지만 이제는 회복과 치유의 시간으로 가고 있지 않은가. 문제를 발생시키는 역할이 사명을 다하였고, 이제는 하느님이 새롭게 뜻하시는 통합의 세계를 위해서 모두가 힘을 모아야 하지 않겠나.

내가 원하는 것은 나의 원고에서 조화롭지 않은 부분을 발견하여 고치고, 갈등을 유발하지 않으면서도 질서를 가져올 수 있는 것이다. 천천히 검토해 보자. 더 다듬어야 할 부분이 있나요? 너무 고치면 자연스러움이 없어질 것 같고, 부족함을 유지할 수 없을 것 같습니다. 남들에게 피해만 안 가게 해주십시오. 천주교와 새로운 정당에 도움이 되는 글이기를 바랍니다. 앞으로 저의 믿음을 굳건히 지켜갈 수 있도록 도와주십시오. 저는 이제 안정을 원합니다. 불안함 속에서 흔들리며 오랜 길을 걸어왔고, 종착점에 가까이 다가서고 있습니다. 저에게 마지막 지혜를 주시어 잘 마무리할 수 있도록 도와주십시오. 제가 지도자로서 부족한 상태라는 것을 잘 알겠습니다. 지도자라는 이름은 국민들이 붙여주는 이름이지, 스스로 말할 수 없다는 것을 알겠습니다. 저는 깃발을 들어야 했기 때문에 강력하게 지도자가 되기를 원한다고 외칠 수밖에 없었던 것입니다. 역사와 하느님을 믿었기 때문입니다. 앞으로도 저에게 마땅한 역사가 펼쳐질 것이라고 생각합니다. 그 어떤 폭풍도 다스릴 수 있습니다. 세계는 평정될 것입니다.

명령하는 것에 두려움을 느끼는가. 그것은 실상에 대해서 잘 모르기 때문이다. 그래서 공부가 필요한 것이다. 공부를 할수록 구체적으로 원하는 것을 명령할 수 있다. 지금은 큰 흐름을 말할 수 있을 뿐이다. 모든 것을 원하고 가질 필요는 없다. 필요한 것을 끌어당기고 얻으면 된다. 너의 단계에 맞게 원하는 것을 말하면 된다. 기를 분산시키지 마라. 기는 보물이고, 소중한 것이다. 너의 기를 함부로 스마트폰이나 유튜브에 바치지 말라. 스마트폰과 유튜브에서 시간을 보내기보다, 공부하고 생각한 것을 이렇게 글로 적어가면서 생각해 보라. 그것이 너의 흘러넘치는 재산이다.

2023년 8월 3일

 이번 8월에는 성당에서 하는 '성가 잔치' 연습이 있고, 9월 초에 '성가 잔치' 예선전이 있다. 각 구역의 사람들이 성가곡을 지정받아 성가를 부르고, 평가받는 자리이다. 이제 미사 시간에 바치는 성가를 국악 버전으로 바꾸어 부른다고 한다. 그에 대비해서 국악으로 된 성가를 익히고, 사람들과 함께 합창하며 좋은 시간을 보낼 수 있을 것 같다. 국악으로 된 성가는 주임 신부님이 수십 년 전에 작곡한 것이라고 한다. 오늘 유튜브를 통해서 여러 곡을 들어보니, 너무나 아름답고 소중하며, 흥이 덩실덩실 나서 마음이 너무 좋았다. 나의 얕은 이해로 천주교는 서구의 종교이기에 어딘가 거리가 있다고 생각하기도 했지만, 앞으로 미사 시간에 국악으로 된 성가를 즐겨 부른다면, 천주교와 완전한 일치를 이룰 수 있을지도 모른다. 하느님이 천주교와 친화를 이룰 수 있도록 도와주시는 것 같다. 신앙을 더욱 소중히 가꾸어 나가라고 말씀하시는 것 같다. 삼십여

년을 살면서 오래된 의심의 생활을 겪어왔기 때문에 진정한 믿음의 길로 가는 여정이 낯설기도 하지만, 언젠가 너무도 당연하게 믿고 사랑하는 마음으로 충만해질 것이다. 험한 세상에서 적응하며 살아남기 위해서, 정신을 분열해 가면서 내면을 지켜내려고 해서인지, 끝없이 흔들리기도 하는 나이지만, 멀리서 보는 큰 그림은 결국 진정한 믿음의 길로 나아갈 것이다. 나는 그렇게 믿고 있다.

어떻게 사주 운에 의지하지 않고 정국에 대해 구상할 수 있겠습니까. 오로지 성령님께 질문하고 해답을 얻은 정보만으로 그것이 가능하겠습니까. 타로는 아주 가끔 정보가 필요할 때 할 수 있고, 사주 월 운도 의지하며 살아가도 괜찮다고 말씀해 주십시오. 그런 정보보다 하느님에게 더욱 기도하고 다가가는 시간을 보낸다면, 하느님에 대한 믿음을 지켜나갈 수 있지 않겠습니까. 인터넷을 통해서 정보를 구하고 얻을 수 있는 기회를 허락해 주십시오. 하느님과 동행하는 지배자의 성장을 응원해 주십시오. 하느님, 부디 저의 상황을 풍성하게 이끌어 주시어, 인색하지 않고 돈을 사용할 수 있게 해주십시오. 돈을 아껴야 하는 상황으로 인해 인색함과 의심을 거둘 길이 없습니다. 아시겠지만, 의심이 꼭 나쁜 것은 아니지 않습니까. 강한 믿음으로 잘 치료하기 위해서 거듭 의심하는 마음을 갖고 물어본 것이 아닙니까. 제가 하느님에게 기도하면 해법을 알려주십니다. 그런 인도에 의지해서 삶을 다스려 나가 보겠습니다. '믿음의 길'이 너무나 완성도 있는 마무리가 되었기에 앞으로의 글쓰기가 부담이 됩니다. 하지만, 마음을 잘 다스려 나가 보겠습니다. 덥더라도 운동을 더욱 열심히 해보겠습니다. 이렇게 불완전해도 괜찮다고 말씀해 주십시오. 믿음의 길 위에서 흔들려도 괜찮다고 말씀해 주십시오.

2023년 8월 7일

 어제는 혼돈과 함께 깨달음이 있었던 날이다. 나는 오랜 시간 동안 음양 오행적 해석으로 세운이나 월 운을 살펴보며 미래를 구상하는 편이었는데, 그런 활동을 해도 되는지에 대해서 걱정이 되었다. 이미 타로 유튜브들은 구독을 취소한 상태이고, 개인적으로도 타로를 안 하기로 했기 때문에 좀 더 안정적인 정신과 믿음을 가져가고 있지만, 동양 철학적 해석은 서양의 별자리와 같이 인문 교양의 영역이 아닌가. 견진성사를 받았다고 해서 다양한 인문적 성찰 도구를 멀리하는 것이 좋은 것인가에 대해서 고민이 되었다. 저녁에는 카페의 봉사자들과 신부님들이 함께하는 저녁 식사 시간이 있었는데, 여러 가지 영적인 가르침을 받을 수 있어서 좋았다. 모든 것이 성령님이 하시는 일이고, 인간은 걱정하지 말고 따르면 된다는 것이다. 무언가 내가 성취했어도, 내가 했다기보다 성령님이 이끄신다는 것이다. 처음에 생각이 조금 자라날 때는 상황이나 생각이 분명하지 않아서 사주나 타로로 알아보고 싶어지는 것이다. 하지만 시간이 흐르고, 내면과 직접 소통하면서 희미했던 상황이 뚜렷해지게 되는 것이다. 점차적으로 밝혀가는 과정을 인내할 수 있다면, 그런 파악 도구는 필요가 없는 것이 아닐까. 나는 비염의 치료를 위해서 애쓰고 있지만, 치료하고, 기도하고, 해야 할 바를 수행하다 보면, 자연스럽게 치료가 될 것이다. 인간의 노력에 큰 비중을 두고, 책임을 지며 해결할 수 있다고 생각하니 괴로움이 오는 것이 아닌가. 그런 집착을 놓아버리고, 이런 위기의 시간을 하느님과 더 친해지는 훈련과 연단의 시기로 보낸다면 더 좋아지지 않겠나 싶은 것이다. 그래도 좋은 훈련의 시기로 여기고, 기도를 통해서 치유를 해나가도록 해야 할 것이다. 사주나 타로도 좋은 상황이 오면 굳이 볼 필요가 없어진다고 한다. 아주 자연스럽게 그리될 것이다.

하느님 죄송해요… 믿음의 길을 향해서 나아간다고 다짐했지만, 과거에 오랫동안 지속해 온 습관이 남아있어서 어려움을 겪고 있습니다… 그래도 시간이 지나면, 하느님이 원하시는 대로 잘 살아갈 수 있을 것이라고 생각합니다… 이런 저에게 시간을 주시어 보다 더 나은 믿음의 길로 나아가는 것을 허락해 주십시오… 저도 노력해 나가겠습니다… '믿음의 길'이라는 소중한 책을 세상에 선보일 수 있다는 것은 큰 축복이다. 나를 이끌어 주시는 성령님 덕분이다.

정말 감사하고, 겸손하게 살아야겠다. 오래된 습관에서 벗어나서 좀 더 나은 인간이 되기 위해 노력하자. 견진성사를 받고 놀라운 점은 정말 내면의 성령님이 지켜주시는 것 같다. 사주나 타로 정보를 얻으려고 하면 마음이 너무나 불편해져서 할 수 없게 된다. 너무 거대한 세상과 마주하면서 큰 책임을 갖고 살아가다 보니, 작은 도덕을 어기는 것도 너무나 괴롭고 힘들어진다. 믿음을 잃어버리는 것은 작은 것이 아니다. 가장 중요하고 큰 것이다. 그에 모든 것이 달려있는데, 믿음을 쉽게 생각해서는 안 된다. 조심조심 믿음을 키워가야 한다.

2023년 8월 9일

견진성사를 받고 믿음의 길로 나아갈 수 있다는 것은 어떤 사항에 대해서 잘 모르는 것이 아니라, 무엇을 믿어야 하고 믿지 않아야 하는지를 알 수 있게 된다는 것이다. 그래서 불안이나, 의심이 적어지는 것이다. 믿음을 갖는다는 것은 한마디로 진리에 가까워진다는 의미인 것 같다. 지혜로워져서 잘 모르는 사항이 적어진다는 의미이다. 이런 축복이 나에게 오다니… 하느님 감사합니다.

2023년 8월 10일

 최근 젊은이들이 칼부림하는 일이 범죄 사건으로 여럿 등장했는데, 그 한 가지 사유를 들어보니, 집단 스토킹의 피해로 인한 것이라고 한다. 내가 경험한 것이 없었다면, 정신 병력이 있는 범죄자의 말을 피해망상의 증상으로 보았겠지만, 나로서는 그의 입장이 이해가 간다. 돌아보면, 나 역시 2006년에서 2007년 사이에 집단 스토킹을 당했던 것 같다. 학교에 다니면, 나를 감시하고 쫓아다니는 사람들이 곳곳에서 나타났던 것이다. 인터넷이나 핸드폰으로 사람을 조종하면서 그 사람을 미치게 만드는 것이다. 그래서 의심하면서 문제를 해결하기 위해 노력하다 보면, 점점 환청을 듣게 되거나 정신적으로 힘들어지는 상황이 오는 것 같다. 생명을 위협하는 주변 환경에 대처하기 위해서 위기의식을 오래도록 지속하다 보면, 정신적으로 혼란과 환청이 올 수 있는 것 같다. 하지만, 언론들은 그의 증상이 단지 정신병 때문이라고 낙인찍어 버린다. 집단으로 스토킹하는 주체가 누구인지는 아직 밝혀지지 않았으나, 그들의 작업이 실패하길 바란다. 우리 한국 국민들을 지키고 보호하고 싶다. 그리고 많은 국민들이 깨어나, 그런 범죄행위에 대해서 알게 되고, 각성으로 진정한 권력을 갖게 되기를 바란다. 사탄이 패망하고, 하느님이 원하시는 행복한 세상이 되었으면 좋겠다.

그들이 나를 죽이려 했다는 것을 확신하는 이유는 내가 고통받고 있었을 때 밖으로 나가려 하자, 내면에서 '지금 나가면 죽어!'라고 하며, 내가 나가려는 것을 강하게 막았다. 지나고 보니, 내 안의 신성이 나를 살려준 것이다. 그들은 미래에 새로운 질서를 가져올 나의 존재를 없애고, 자신들이 구상하는 신세계 질서를 만들고 싶었던 것 같다. 전자기기와 사람들을 통해서 집단 스토킹을 하고, 개인이 의심하게 만들어서 미치게 만드는 것이 그들의 목표였던 것 같다. 이미 미쳐버린 정신을 표현하니 원래 미쳐서 그런 것이라고 생각하기 쉽지만, 사실은 미치게 만든 존재들이 범죄행위를 한 것이다. 사람들은 아직도 깨어나지 못했는지, 국가에 대해서 위기의식을 느끼고 있는 건지 잘 모르겠다. 국민들이 더욱 각성하여 가장 중요한 문제에 대해서 의견을 내고 독립을 쟁취할 수 있었으면 좋겠다. 인간들을 미치게 만드는 그들의 모든 노력이 실패했으면 좋겠다. 내가 리더십을 발휘하여 온 세상을 제사장들의 나라로 만들어 나갔으면 좋겠다. 언론이 투명해졌으면 좋겠다. 언론이 투명해진다면, 국민들이 고통받을 것이다. 현시대의 상황이 너무나 괴로울 것이기 때문이다. 그래서 투명해지는 만큼, 나의 역사가 드러나서 국민들이 새로운 희망을 품을 수 있는 역사가 펼쳐졌으면 좋겠다. 언론은 국민들을 지키기 위해서 진실을 가리고 있다는 말을 책에서 본 적이 있다. 언론이 투명해질 수 있도록 하늘이 나의 역사를 허락하셨으면 좋겠다. 그동안 질서를 바로잡기 위한 모든 도전이 실패했더라도, 적어도 나만큼은 역사가 허락하실 것이다. 왜냐하면, 나는 새로운 질서를 가져와야 할 운명을 가졌기 때문이다.

2023년 8월 11일

숨어서 있는 것이 더욱 널리 퍼지게 되는 길이라는 '중용'의 책 문구를 보았다. 그래서 지나치게 홍보하려고 노력하지 않아도 될 것 같다. 그보다 세상에 대한 이해를 키우는 데 더 노력해야 한다. 세상이 아무리 한국을 어렵게 하더라도, 나만큼은 한국을 지키는 장군이 되어야 한다. 세상이 한국을 공격하고, 지배하려 하더라도 나만큼은 한국에서 중심을 잡아야 한다. 아무리 세상이 혼탁하더라도 나는 끝까지 믿음을 이어가야 한다. 제가 바라는 것은 국민들이 각성하고 깨어나서, 스스로 독립을 쟁취하기 위해 힘을 모으는 것입니다. 국민 모두가 생존의 위기를 느끼고 나서서 국가 독립의 길을 만들어 가야 한다.

2023년 8월 13일

하느님은 모든 것을 가능하게 하신다는 것을 믿습니다. 저의 책이 널리 알려져 국민들에게 좋은 영향을 끼치게 해주십시오… 화제를 불러와서 저의 활동이 공식적으로 인정되게 해주십시오… 하느님 나라를 만들어 가는 여정에 힘을 보태주십시오… 끝까지 인내심을 갖고 정진하겠습니다… 언제나 저를 이끌어 주셔서 감사합니다… 항상 낮은 자세로 국민들을 섬기면서 살아가겠습니다… 인류를 희생시키는 것보다, 하느님을 알고 믿게 만드는 것을 더욱 원하신다는 것을 잘 알고 있습니다. 저의 역사를 이끌어 주시어 온 세계인들이 알 수 있게 해주십시오… 숨어있다면 오히려 잘 드러난다는 것도 알고 있습니다. 저의 역사가 널리 퍼지도록 이끌어 주십시오… 그래, 나의 활동에는 정당성이 있어… 인류를 희생시키지 않고도 새로운 질서를 만들 수 있어… 그래서 나의 등장이 코로나바이러스의 해법이 되는 것이다. 책과 관련한 모든 연락은 내가 주체성을 갖고 안정되면 올 것이다. 어딘가 의존하려는 마음을 버려라. 모든 것을 혼자서 다 해볼 생각을 해보라. 그만큼 준비가 되어야 한다는 뜻이다. 지금은 '믿음의 길' 책을 더 읽어보면서 하느님에 대한 믿음을 강화할 필요가 있다. 세상이 나를 자유롭게 만들었고, 이런 정신으로는 더 이상 기존의 세상에서 살아갈 수가 없기에, 새로운 세상을 꿈꿀 수밖에 없는 것이다. 그에게 먼저 평화와 자유를 맛보게 하라. 되돌아갈 수 없도록.

하느님이 저에게 영적인 역사를 허락하신 것은 세계가 노예적이고 기계적으로 전락하지 못하게 하기 위함이라는 것을 잘 알고 있습니다. 그런 부정적 시도는 역사의 디딤돌이 되어, 결국 온전한 하느님 나라를 만들기 위함이라는 것을 보여주십시오. 하느님의 권능을 펼쳐주십시오. 저를 도구로 이 세상을 평화롭게 만들어 주십시오. 국민들이 각성하여 고통 속에서 새로운 질서라는 희망을 염원하도록 만들어 주십시오. 국민들의 각성을 이끌어 주십시오. 제가 어떻게 깨어나면 되겠습니까. 방법을 알려주십시오…

2023년 8월 14일

 그동안 벌어졌던 모든 일들은 하느님에 충성하는 하느님 나라를 위한 것이었다는 생각이 든다. 세상은 자유롭게 살아가는 것 같지만, 진정한 자유란, 하늘에 종속되는 것을 말한다. 세상은 하느님이 주인인 나라이기 때문에 각종 내정간섭과 폭력이 가능한 것이다. 대부분 무교인 한국인들은 종교에 대한 관념 없이, 인간의 생명을 해치는 행동 그 자체에 대해서 분노하고 저항하기 때문에 고통받는 것 같다. 세계를 이끌어가는 지도자들은 모든 것을 신의 관점에서 바라보기 때문에, 좀 더 적극적인 행동이 가능한 것 같다. 폭력을 행사하는 주체들이 원하는 것은 하느님에 충성하는 하느님 나라이기 때문에, 나 역시 그 흐름에 동참한다면 더 이상 적은 없을 것이다. 오히려 나의 행보에 대해서 감사하게 생각할 것이다. 게다가 불교나 이슬람교에서도 같은 지도자를 구원자로 보고 있기 때문에, 하느님 나라에 대한 이상은 특정 종교에 국한되는 생각은 아닐 것이다. 한마디로 이상적인 사회가 펼쳐진다는 것이 핵심일 것이다. 모두가 본성과 신성에 연결되어 돕고, 성찰하며 살아가는 이상적인 사회가 도래한다는 기쁜 소식이 있다. 그렇게 행복한 사회가 갑자기 다가올 것인가. 인류는 무언가 중요한 것을 깨달아야 할 것이다. 가장 소중하고, 지켜야 하는 것이 무엇인지에 대해서 깨닫게 될 것이다. 그것은 의식의 에너지가 높은 내가 깨닫는 것에서 출발하는 것이다. 꼭 책을 통해서 널리 알려지지 않더라도, 나만의 각성을 통해서 전 세계의식과 연결될 수 있는 것이다. 다가올 새로운 시대를 건설하기 위해서 어떤 깨달음들이 필요한지에 대해서 생각해 보아야 할 것이다.

 구약성경을 더 읽어봐야 한다. 중요한 내용들이 담겨있을 것이다. 하느님에 대한 믿음을 더욱 강화해 가기 위해 노력해야 한다. 나에게 선하고 좋은 것만을 보내주실 것을 믿어야 한다. 나에게 성장이 필요할 때에는 갈등과 위기를 보내주실 것이다. 나를 지키기 위해서 가족들과 적당한 경계선을 유지하는 것이 필요하다. 나를 지키는 것이 인류를 지키는 것과 같기 때문이다. 이러한 역사의식을 갖고, 인류를 위해서 구상하는 나는 정말 큰 축복을 받은 것 같다. 이런 운명에 감사드린다. 가끔 나도 모르는 미숙한 모습이 튀어나와서 당황할 때도 있지만, 성찰하면서 나아가다 보면 점차 더 좋아질 것이다. 내일은 광복절이자, 성모 강림 대축일이라서 기대가 된

다. 미사 시간에 국악곡으로 노래 부르기로 했기 때문에 너무 소중
하고 좋은 시간이 될 것 같다. 하느님 감사합니다.

카페 봉사

2023년 8월 17일

 기록으로 남겨야 할 것이 있어서 노트북을 켰다. 나는 아직도 악마의 시험을 받고 있다는 것을 깨달았다. 견진성사를 받았다고 해서 완전무결한 빛을 얻은 것은 아닌가 보다. 확실히 모든 문제를 기도로 해결하려는 정신이 갖추어져 간다. 타로를 들여다보아도 신뢰가 가지 않고, 불편한 마음이 든다. 기도를 통해서 모든 문제를 해결할 수 있다. 최근 성당의 카페 봉사활동을 하면서 적응하는 과정에서 부정성을 느끼기도 했지만, 내가 성당에서 적극적으로 활동하는 것을 막으려는 악마의 소행이 있는 것 같다. 나는 언제나 적응 초기에는 어색하고 낯설어서 주변에 부조화를 만들기도 하지만, 시간이 지날수록 좋은 관계를 많이 만들어 가지 않았던가. 최근 성당 사무원으로 일하는 것이 어떠냐는 제의를 받았는데, 미사에 적극적으로 참여할 수 없어 영성체할 수 없으며, 가장 소중한 기를 빼앗길 수 있다는 생각에 거절한 것을 바로잡지 않으려고 한다. 나에게는 돈보다 추구 심을 갖고 길을 열어가는 것이 더 중요하기 때문이다. 길은 미리 닦아가지 않으면 종속될 수밖에 없으니, 언제나 중심을 잡고, 다음 단계를 구상해 가야 한다. 홈런을 쳤다고 쉬려고 하면 안 된다. 내가 중심을 잡아야 천사들도 순응할 것이다. 그렇다고 너무 열심히 하려고 하다 보면, 에너지 관리에 실패하여 악마의 덫에 걸릴 것이다. 내가 성당에서 긍정적인 활동을 하는 것을 막으려는 악마의 소행이 있을 수 있지만, 나는 낮은 자세로 큰 욕심 내지 않고, 해야 할 도리를 다할 것이다. 어쩌면 적극적으로 기도하지 않아서 이런 시험에 드는 것일 수도 있다.

최근 구약성경의 시편을 읽으려고 할 때마다 집중이 잘되지 않았는데, 며칠 전 미사 시간 옆에 앉아 계시던 자매님이 '성서 백 주간'을 추천해 주셨다. 구약성경을 통해서 진정한 하느님을 만날 수 있다는 것이었다. 많은 이들이 신약성경을 가장 중요한 것으로 알지만, 구약의 내용이 매우 중요하다는 것이다. 혼자 공부하려고 하면, 악마의 방해로 집중이 잘되지 않지만, 모여서 공부하면 좋은 경험을 할 수 있다고 한다. 나는 단순한 국가 지도자의 길을 준비하는 것이 아니라, 온 세상의 악을 잠재우는 구원자의 길을 가기 때문에, 더욱 악마의 방해가 심한 것 같다. 편안한 마음을 가지면 악마가 침투하니, 항상 기도하는 마음으로 선을 갈구하는 삶을 살아야겠다. 이번 위기를 통해서 봉사활동을 중단하게 되면 어쩌나 하는 생각까지 들었는데, 부정적 기운에 영향받지 않고 신념으로 중심을 지켜가야 하겠다. 그래… 아직도 악마는 살아있어… 그들이 원하는 것은 내가 국가 지도자가 되지 못하고, 성당에서 영성체하지 못하게 하는 것이다. 신부님을 믿고 따라야 하는 것이다.

2023년 8월 18일

 지금은 어떤 지식을 접하고 깨닫는 것보다, 기도를 통한 창조기술을 경험하고, 사람들과의 관계에서 잘 적응하는 것이 화두인 것 같다. 항상 낮은 자세로 상대를 대하며, 속이려고 해서는 안 된다. 한동안 사회생활을 하지 않다가 봉사활동을 해서인지, 내가 미숙한 부분이 있었을 것이다. 하지만, 앞으로 부정적인 에너지를 받을 수밖에 없는 활동이라면, 애초에 단념하는 것이 좋을 것이다. 그래서 나는 하느님을 믿고, 봉사할 기회를 이어갈 수 있게 해달라고 기도한다. 자유란, 내 마음이 그들을 자비로운 시선으로 대한다면 그렇게 되는 것이 아니겠나. 나는 언제나 초기에 사람들의 호감을 사는 편이다. 하지만, 내가 관계에 별로 욕심이 없으니, 관심을 갖고 다가오는 사람들을 나도 모르게 무시하게 되면서 보이지 않는 갈등이 생기곤 했다. 잘 통하지 않는 사람들과 너무 많은 관계를 만든다면 삶을 이어갈 수 없기에 그럴 수밖에 없는 것이지만, 그것이 반감을 불러일으키는지도 모르겠다. 어쩌면 내가 너무 맑고 순수한 정신을 표현하고 있어서 그들을 어둠으로 만들기에 반감을 사는 것인지도 모르겠다. 나는 자유롭게 봉사 그 자체에 집중하여 좋은 에너지를 주고받고 싶었던 것인데, 앞으로 어떻게 될지는 두고 봐야 할 것 같다. 사회생활을 한동안 하지 않았던 내가 나도 모르는 실수를 해왔을지도 모르겠다. 하느님이 나를 겸손하게 다스리기 위해서 불편한 관계도 심어 놓으신 것 같다. 시작에 분명함이 있었기 때문에, 어떤 배움의 이유가 있을 것이라고 믿는다. 나는 사람들을 통해서 다스려져야 하는 것이다.

 그동안 약 한 달간 타로 영상을 보지 않았고, 유튜브 구독을 모두 취소했다. 오늘은 내면의 인도를 느껴서 기존에 애착이 있었던 채널의 최신 영상을 보았는데, 나에게 꼭 필요한 긍정적인 메시지를 들을 수 있어서 감사했다. 지혜나 능력을 기르기 위해서 노력하기보다는 사랑을 실천해야 한다는 조언을 얻었는데, 나에게 꼭 필요한 내용이었다. 의무적으로 보려고 하기보다는, 가끔 보는 것은 괜찮지 않을까. 하지만, 에고를 강화해서 교만해질 수 있다는 점에서 경계해야 하는 것은 사실이다. 좋은 내용이면 교만해지고, 나쁜 내용이면 믿음이 흔들린다는 것이다. 그래도 너무 자주 보지만 않으면, 길잡이 역할을 할 수 있을 것이다. 창의성이란, 재미있는 활동을 하는 것인데, 그 재미가 절제를 무너뜨리고 주체성을 약화한다면 허용할 수 있을 것인가. 이번 위기를 통해서 내면의 안내만으로 문제를 해결할 수 있다는 것을 깨달았다. 잘 모를 때는 알 수 있는 힌트들이 다가오고, 시간에 당도하면 거침없는 결단을 내릴 수가 있는 것이다. 그래서 시간이 답이라는 말이 나오나 보다. 어려움에 처하면 문제를 해결할 수 있는 단서들이 마구 찾아오는 이 운명에 대해서 감사함을 느낀다. 항상 겸손함을 지켜갈 수 있다면 악운은 없다는 말을 본 적이 있는데, 재미를 적당히 절제해야 인생의 주인이 될 수 있다. 이 시대에는 절제가 가장 중요한 덕목이 되는 것 같다. 절대로 타로를 하지 않겠다고 했지만, 순간 강력한 이끌림이 있다면 어쩔 수 없는 것이다. 이것은 영적으로 걸어온 사람만이 이해할 수 있는 것이다. 인간이란, 기계가 아니기 때문에 명령을 오차 없이 수행해 내는 것은 불가능하다. 그것은 자연스러움을 포기한다는 의미이다. 영적인 길은 자연스러운 길이다. 하지만, 결국은 온전히 기도와 믿음으로 모든 것을 가능하게 만들 수 있는 능력을 갖추게 될 것이다.

마지막으로 내가 바라는 것을 적어본다. 제가 실수하지 않고, 봉사자들과 즐겁게 일할 수 있었으면 좋겠습니다. 구약성경 시편의 말씀을 집중해서 읽어볼 수 있었으면 좋겠습니다. 그리고 제가 겸손하게 거듭나서 어떤 악운도 오지 않았으면 좋겠습니다. 사회에서 만나는 사람들이 저를 있는 그대로 존중해 주고, 그들과 좋은 관계를 만들어 갔으면 좋겠습니다. 사회적으로나 경제적으로 인정받을 수 있는 기회가 있었으면 좋겠습니다. 부족할 수 있다는 것을 항상 명심해야 한다. 나는 나에게 집중해 있기 때문에 상대방의 입장을 고려하지 않거나, 소홀할 수 있다는 것을 명심하자.

2023년 8월 19일

 내가 문제에 봉착했을 때 필요한 것을 끌어당기는데, 그래서 자연스럽게 적절한 타로 영상을 보아야겠다는 생각이 드는 것 같다. 하지만, 구독을 해놓고 너무 많은 채널의 영상을 재미로 들여다본다면, 기가 파괴되고 바보가 될 것이다. 영상을 통해서 나에게 다가오는 메시지도 신이 나에게 보내준 메시지라는 생각이 든다. 내면에서는 가끔 보면 된다고 하신다. 가끔 필요한 것이 있을 때 보면 될 것 같다.

 사람들과 너무 가까운 거리를 갖게 되면, 미움을 받기 쉽다. 나는 단지 솔직한 것뿐인데, 잘난척하는 것이 되기 때문에 언제나 죄인의 입장에 서게 되는 것이다. 그래서 사람을 가려 사귀어야 하는 것이다. 순진하고 솔직하게 말을 한다면, 어느샌가 사람들은 나를 미워하고 있을 것이다. 상대방을 배려하지 않았다고 생각하게 되기 때문이다. 그래서 인연은 함부로 만드는 것이 아니다. 봉사활동을 하면서도 적당한 거리를 유지해야 하는 것이다. 하지만, 자기표현을 잘하지 않는다면, 그들을 불편하게 만들 것이고, 어떤 방식이든 잘 적응하기 힘들 것이다. 그래서 함부로 공동체를 선택해서 들어가면 안 된다. 가족 간에도 마찬가지다. 이미 자아상에서부터 너무 격차가 벌어져 있기 때문에, 조언을 하거나 가까이 다가가는 것만으로, 존재만으로 상처를 줄 수 있는 것이다. 언제나 죄의식을 갖고 살아갈 것이 아니라면 일정한 거리는 항상 유지하는 것이 좋다. 적응에 실패했다고 자책할 것이 아니라, 자신을 알고 단체를 알면 어려움은 없다. 그래서 끝없는 자기 혁명을 향해 나아가는 사람은 점점 고독해지는 것이다. 한껏 잘난 사람이 상대를 믿고 허물을 드러내고 힘들어한다면, 오히려 그동안 위축되었던 자아상에 대한 보상을 받고자 상대가 공격할 수도 있다. 그래서 나 같은 운명은 고독할 수밖에 없는 것이다. 예술가는 깊이 있는 관계를 추구하기 때문에, 대상과 하나가 되기를 바라기 때문에, 사람들과 쉽게 사귈 수는 없는 것이다.

나에게는 더 큰 지혜와 능력보다는 '사랑'이 필요한 것 같다. 나를 더 사랑하고, 상대를 이해하고 자비롭게 바라보며, 평범한 사람들을 하느님처럼 대하는 것이 필요하다. 누구나 에너지가 떨어지면 실수할 수 있는 것이다. 나에게는 참고, 인내하는 사랑이 필요하고, 좀 더 기도하는 시간이 필요하다. 누구에게든 너무 가까이 다가가면 안 된다. 적당히 거리를 언제나 유지해야 한다. 하느님을 믿는다면, 사람도 믿을 수 있는 것인가. 성령의 느낌으로 믿어야 할 것과 믿지 말아야 할 것을 분별할 수 있는 지혜를 얻었기 때문에 괜찮을 것 같다. 모든 것은 내가 하는 것이 아니라, 작은 부분에서도 성령님이 하시는 것이기 때문에 너무 걱정할 필요는 없다. 현재 나의 사업은 안정적인 상태라고 보인다. 바보같이 살면 행복하잖아. 왜 그것을 자꾸 잊어. 너무 계산하고 이익을 따지고 손해 보지 않으려고 하면 행복에서 멀어지는 거잖아. 너의 운명에 복이 많이 깃들었는데, 뭘 그렇게 걱정해. 주변 환경이 변화하고 있어서 걱정되긴 해. 내가 실수하지 않을지. 악마의 방해가 있지는 않을지. 그래도 성령님이 도와주실 거야. 언제나 낮은 자세로 봉사하는 마음으로 살아. 기도하면 되잖아. 하느님에게 청하면 들어주시잖아. 어려울 것은 없어. 원하는 것을 생각해 봐. 그리고 하느님이 도와주실 것이라고 믿어봐. 그러면 아무 문제가 없는 거야. 주는 만큼 받는 거야. 사랑을 주면, 사랑을 받는 거야. 언제나 기본에 충실하려고 하면 돼. 너무 큰 욕심을 부릴 필요는 없어. 이번 8월 한 달은 좀 여유 있게 지내도 된다. 고된 작업을 마쳤잖아. 나에게 여유로운 시간을 선물하고 싶어. 하느님과 근본적인 화해를 했잖아. 역사적인 한 해였잖아. 사랑해. 나의 모든 역사와 시간, 한국의 역사와 모든 시간에 감사해. 내가 사람들을 실망하게 하면 안 되는데 걱정이야. 조심조심해야겠지. 너무 혼자서 즐거워하면 미움을 받겠지. 거리를 유지하면서 예의 있게 대해야겠지.

 언젠가 하느님과 나 사이에 있는 성당의 사제들을 따라야 하는 것인가에 대해서 갈등했지만, 견진성사 이후에 나에게 찾아온 변화에 대해서 생각해 보니, 사제가 되는 성품성사를 받은 이후에 하느님과 잘 소통하는 특별한 상태가 될 것이라는 생각이 든다. 성사에 대해서 생각하지 않고, 한 인간으로서 그들을 생각해 보았을 때는 믿기 어려운 면이 있었는데, 성사의 기적에 대해서 생각해 보니, 하느님의 종으로서 역할 할 수 있겠다는 겸허한 생각이 든다.

 전에는 의심이 많아서 타로 영상을 하나 보아도 만족하지 않아서 같은 주제의 것을 여러 개 시청하였고, 그럴수록 내용은 남지 않고 기를 빼앗긴다는 생각이 들었다. 하지만, 이제는 의심의 정신이 거의 사라져서 영상을 보아도 쉽게 믿게 되고, 더 이상 다른 많은 영상을 보고 싶지 않다. 온전한 기를 유지하고 싶다는 생각이 든다. 의존하지 않고 가끔 보는 것은 괜찮을 것이다. 그것 역시 하느님이 나에게 전하는 메시지 일 것이라고 생각한다.

2023년 8월 21일

 일단 현실적인 목표는 다음 총선에서 한국의희망이 승리하도록 돕는 것이다. 그리고 하느님과의 소통을 통해서 믿음을 더욱 강화하는 것… 세상에 대해 좀 더 견문하고 사회활동을 통해서 겸손한 태도를 갖추는 것이 될 것이다. 그렇게 새로운 날들에 적응하다 보면, 훌륭한 책이 나올 것이다. 총선에서 승리하기 위해서는 바람을 자주 확언하면서 기를 모아나갈 필요가 있고, 수신에 힘써서 나를 세상에 안정적으로 안착시켜야 하는 것이다. 마음 관리가 가장 중요하다. 눈앞의 시비에서 벗어나서 차분하게 본질에 집중하고, 내가 지도자라는 것을 잊어서는 안 된다. 국민들에게 안정적인 모습을 보여주어야 한다.

2023년 8월 22일

 다른 카페 봉사자들도 내가 생각하는 것보다 숙련되어 있지 않다는 것을 알았다. 나는 빠른 시일 내로 적응해서 폐를 끼치면 안 된다고 생각을 하고 부담을 느껴왔다. 오늘 알게 된 사실은 다른 봉사자들도 특정 부분에 익숙한 것이지, 모든 업무를 잘할 정도로 숙련되지는 않았다는 것이다. 이 공동체에서는 나의 역할이 너무나 소중할 수밖에 없다는 것을 알게 되었다. 내가 피해를 끼치기는커

녕, 구원적 역할을 하고 있었던 것이다. 앞으로 봉사자들이 더 들어와서 인력난을 겪지 않았으면 좋겠다. 봉사자들이 더욱 숙련되어 안정적으로 일할 수 있다면 더 좋겠다.

봉우 권태훈 대 노인의 예언처럼 되었으면 좋겠다. 중국은 공산주의가 끝나고 여러 국가로 분열되고, 대한민국은 평화 통일되어 옛 고토를 회복했으면 좋겠다. 대한민국에 훌륭한 과학자들이 등장하여 국부를 일으키고, 미국은 세계 지배 패권을 포기했으면 좋겠다. 그래서 집단 스토킹이나 전자기기로 인류를 고통받게 하는 주체가 멸망했으면 좋겠다. 나를 고통받게 한 것이 나를 성장하게 했지만, 그 주체들은 심판을 받는 것을 많이 보았다. 그들이 내가 잘되라고 그렇게 한 것이 아니기도 하기 때문이다. 역사를 이끄는 것은 하늘이지만, 그 주체들은 저마다의 입장에서 선이라고 생각하는 것을 행한 것이다. 내가 절뚝절뚝하면서 어설프게 나아가는 것은 적들이 나를 공격하게 만들어서 결국 자멸하게 유도하는 방책이라는 것을 알게 되었다. 그래서 나약해 보인다고 해서 나를 공격하다가는 당신들이 멸망에 이를 것임을 명심하는 것이 좋을 것이다. 집단 스토킹을 멈추라. 집단 스토킹으로 대한민국의 인재들을 범죄자로 만들지 마라. 사후세계가 두렵다면, 이제 그 일을 그치는 것이 좋을 것이다.

잘 쓰지 않는 타로카드와 오라클 카드를 중고장터에 내놓았다. 예전에는 그림이 너무나 아름답게 느껴지고, 카드를 통해서 신분을 확인하여 유능해질 수 있다는 생각을 했다. 하지만, 최근에는 타로를 접하는 것에 대해서 죄책감이 느껴진다. 최근 깨달은 것은 타로 결과는 좋게 나와도, 나쁘게 나와도 나에게 안 좋다는 것이다. 좋게 나오면 에고를 강화해서 미움과 부정의 감정에 노출되기 쉽고, 나쁘게 나온다면 믿음이 흔들리고 나아갈 길에 불신을 갖게 된다는 것이다. 나를 찬양하는 내용을 많이 접하면 자신감을 얻을 수 있어 좋은 점도 있지만, 현실 인식이 부족하거나 길을 알고 싶을 때 참고할 정도이지, 정기적으로 들여다볼 것은 아니다. 그런 도구들을 통하지 않아도 기도와 작문, 끌어당김으로 모든 것을 가능하게 만들 수 있지 않은가. 기도와 명령, 작문의 힘으로 미래를 창조할 것이다. 그리고 정보가 필요할 때는 가끔 타로를 통해서 내면과 소통도 할 것이다.

2023년 8월 23일

이제는 하느님을 받아들였으니, 더 이상의 고통은 없을 것이라고 생각한다. 그래서 그런지, 건강이 점점 좋아지고 있다. 너무 후련하고, 스트레스가 별로 없다. 단지, 에고의 수준을 주의하며 실수하지 않도록 해야 한다. 아무런 문제가 없다. 하느님이 바람직한 대안의 역사를 허락해 주셔서 너무 감사하다. 어떻게 안 믿을 수가 있겠나. 너무 행복하다. 그동안 많이 고통받았으니, 이제는 점점 행복해질 차례다. 좋은 아파트로 이사 가서 부모님에게 효도하고 싶다. 더 이상 돈이 없어서 눈치 보고, 자존을 훼손하는 일이 없었으면 좋겠다. 피부관리를 잘했으면 좋겠다. 국민들이 대한민국의 희망을 깨닫고, 더 건강해졌으면 좋겠다. 국민들이 있는 그대로 현실을 직시하고, 새로운 세상을 함께 만들어 갔으면 좋겠다. 내가 언제나 고요하고, 평화로운 정신을 이어갈 수 있었으면 좋겠다. 스마트폰에서 좋지 않은 전파가 나오는지, 스마트폰만 멀리해도 정신의 질이 훨씬 높아진다. 너무 편하고 재미있는 것은 독이다. 마지막으로 나의 책이 널리 알려져서 많은 사람들에게 감동을 선물하고 싶다. 하느님이 적절한 시기에 깨달음을 주시어, 세계 평화를 향한 나의 비전을 강화해 주셨으면 좋겠다. 나는 이제 마음이 급하지 않다. 하느님의 분명한 신호를 받았기 때문이다. 내가 강화해야 할 것은 에고를 더 죽이고, 하느님의 종으로서 역할 할 수 있도록 하는 것이다. 칭찬을 받아들이더라도 내가 하느님의 모든 자녀들인 인류를 위해서 봉사하는 역할을 부여받았음을 명심해야 한다. 모든 일은 성령님이 하시는 일이다. 나에게 다가오는 모든 것에 감사할 수 있다. 미진하더라도 모든 것은 과정이기 때문이다.

인터넷 기사에 너무 이입하지 마. 그들은 국민들의 에고를 자극해서 싸우는 마음을 조장하고 있어. 그들의 의도를 간파하고, 걸려들면 안 되는 거야. 나는 숨어서 잘하는 사람이야. 숨어서 가장 잘 드러날 수 있다는 것을 알고 있어. 국민들이 나를 찬양하고 응원하지 않아도 괜찮아. 시간이 모든 것을 해결해 줄 거야. 언론의 권력에 당하면 안 되는 거야. 네가 아무리 잘났다고 해도 언론이 공격하면 만신창이가 될 것이라고 말해주고 싶어 하는 것 같은데, 하늘이 그렇게 내버려 두지는 않을 거야. 하늘은 나를 보호할 것이다. 생각할수록 집단 스토킹에 화가 난다. 힘이 있는 존재들은 힘을 추구해 왔기 때문에 힘을 얻었을 것이다. 그래서 그런 존재들에게는 힘으로 눌러줘야 패배를 인정하고 물러가는 것이다. 그래서 마음 같아서는 대한민국의 국민들을 괴롭게 하는 모든 일을 벌이는 자들에게 어떤 방식으로든 강력한 응징을 하고 싶다. 내가 아무리 여러 번 용서한다고 해도, 그들은 내가 나약하기 때문에 용서한다고 생각할 것이다. 모든 것은 자기 수준에서 바라보기 때문이다. 나는 이 땅의 모든 괴로움을 청산하고, 독립적인 국가를 건설해 갈 것이다. 나의 길은 하늘과 함께하며, 인류와 지구를 살리는 길이다. 나의 길을 가로막으려 한다면, 당신은 실패할 것이다. 더 이상 한국민들을 괴롭히지 마라. 그 의도를 거두지 않는다면, 당신 국가에 더 큰 재앙이 닥칠 것이다.

2023년 8월 24일

 오늘은 기분이 좋다. 피부관리의 문제점을 알아낸 것이다. 그동안 피부에 별로 관심을 기울이지 않고 적당히 살아왔는데, 이제 나이가 드니 문제점들을 지나칠 수 없게 되었다. 지성 피부 타입에는 일반적으로 자극이 적다고 하는 약산성 클렌징폼을 써야 한다고 해서 썼었는데, 여름이 되니 피지가 너무 올라와서 피부가 거칠어진 것이다. 그래서 이번에는 약알칼리성으로 피지 조절을 해주는 클렌징폼으로 바꾸었더니 피부가 훨씬 매끄러워졌다. 검색을 해보니, 일반적으로 지성 피부에는 약알칼리성이 맞는다고 한다. 피지 조절하는 마스크팩도 장만하여 자주 관리를 해주어야겠다. 그동안 너무 남자처럼 살아온 것 같다. 요즘은 남자들도 피부관리 잘한다. 이제는 나를 더욱 소중하게 해서 모든 문제점들을 해소하고 만족하며 살고 싶다. 앞으로도 원하는 바를 적어 보면서 해법을 찾아가야 할 것 같다. 하느님 감사합니다.

 에너지가 너무 커지면, 빨리하려고 하거나 욕망을 강하게 갖는 것이 위험하다는 것을 알겠다. 조금 손해를 보더라도 느리게 다져가면서, 꼭꼭 씹어가며 소화하고, 다음 단계로 넘어가야 한다는 것도 알 것 같다. 진정한 힘이라는 것을 가졌을 때에는 어떤 일이 있어도 응징해서는 안 되는 것일까. 그것이 나에게 돌아오는 것일까.

이 세상을 대하다 보면, 믿음을 해치는 것들이 많이 있다. 그래서 더욱 성당 활동을 적극적으로 해야 하는지 모르겠다. 이렇게 어쩔 수 없이 믿음을 해치는 환경에 둘러싸여 있으면서 스스로 믿음이 강하지 않다고 죄책감을 느끼거나 자책해서는 안 된다. 이 세계는 나 같은 개인이 믿음을 강화해 힘을 행사하지 못하도록 시스템을 만들어 온 것이므로, 현재의 불완전함은 당연한 것이다. 믿음 강화를 위해서 내가 가져야 할 전략은 무엇인가. 나의 넘치는 기를 어디에 쓸 것인가. 하느님에 대한 믿음이 굳건하다면, 세상을 응징하지 않는다. 스스로 피 묻히지 않는다. 무엇이든 가능하게 만드는 주체는 공동선을 추구하면서 응징한다. 응징의 방식이 다를 뿐이다. 파괴하는 것이 응징이 아니라, 그 파괴의 에너지 자체를 종결시키는 것이 더 큰 응징이다. 그럴수록, 평온하게 지내야 한다. 아직 멀었어. 조금 더 단단해지고, 평화로워져야 한다. 확실히 성령님들이 나를 돕는 것 같다. 나는 날마다 변화하고 있다. 좀 더 온전하게 자신을 믿어가고 있다. 너무 큰 욕심을 부리기보다, 때에 따라 떠오르는 생각을 집행하는 자세를 가져야 한다. 확실히 다음 단계로 나아가고 있다. 혼탁했던 정신이 정화되어 가는 것 같다. 이렇게 혼자 살 수도 있어. 하지만, 이런 사람이 국가 지도자가 된다면, 사람들은 결혼하지 않으려 할 거야. 그게 문제야. 그렇다고 내가 국가 지도자가 안 되면 인류 구원은 없어.

2023년 8월 25일

몸과 마음이 건강해져 간다. 건강 악화의 근본 원인은 스트레스였는데, 요즘은 스트레스 없이 너무나 행복한 시간을 보내고 있다. 모든 것은 하느님을 믿고, 성령님이 안내하시기 때문에 어려움은 없다. 이런 신호를 잘 알아차리기 위해서 몸과 정신을 맑게 유지해 가는 것이다. 이렇게 역사를 끌어당기는 시간이 너무나 소중하고 기쁘다. '새로운 날들'의 완성된 내용이 궁금하다. 하느님이 어떤 구상을 하고 계실지 너무 궁금하다. 또 많은 깨우침을 얻을 수 있는 시간이었으면 좋겠다. 하느님 감사합니다.

내가 기억해야 할 것은 분노와 갈등에 지나치게 개입하여 공동 창조자가 되어서는 안 된다는 것과 내면의 평화를 언제나 유지하려고 해야 한다는 것이다. 그것이 나의 직업이지 않은가. 아직은 이 사회가 나를 바라보는 시선이 이중적이라, 정체성을 안정시키지 못하는 것 같기도 하다. 이 사회가 보고 싶어 하는 모습으로 나를 보여야 하기 때문에, 글에서 더욱 평범함을 강조하는 것 같기도 하다. 결점들도 보여주어야 하는지도 모르겠다. 예술이란, 아름답고 사랑하는 것을 보여주는 것이다. 그렇다면 나의 결점들을 보여줌으로써 국민도 자신의 결점들을 용서할 수 있고, 진정으로 자신을 사랑할 수 있지 않겠나. 그래서 역사가 기억하는 나의 모습은 국민과 함께 만들어 가는 것이다. 나를 통해서 많은 국민들이 치유될 수 있었으면 좋겠다. 매일매일 무지에서 벗어나서 좀 더 평화로운 내면을 지켜갈 수 있었으면 좋겠다. 전 세계의 모든 지도자들은 하느님을 따른다고 했다. 내가 나를 비웃거나 싫어해서는 안 돼. 적어도 나만큼은 나를 끝까지 사랑하고 믿어주어야 하는 거야. 하느님은 불교나 민족종교를 믿는 사람들은 싫어하실까? 그렇지 않아. 종교에 대해서 좀 더 알아봐야 할 것 같아. 너무 욕심부리지 말고, 일단 그동안 책들을 다시 읽어보면서 역사의식을 바로잡아. 그리고 종교에 관심을 두고 알아봐. 평화를 유지하면서 살아가면, 책임을 다하지 않는 것처럼 바라보는 사회의 시선들에 적응하느라 투쟁적인 마음을 갖기도 한다. 그러니까 평범함을 유지하면서도 이 사회에 너무 적극적으로 참여해서는 안 되는 거야. 영원히 아웃사이더의 시선으로 세상을 바라보고 살아가는 거야. 이 한국 사회는 개인이 특별해지는 것을 싫어하고 평범한 것을 좋아하기에, 그에 적응하느라 나도 모르게 투쟁적인 마음을 갖게 되는 거야. 그냥 아웃사이더를 받아들이고 살아. 네가 가는 길은 쉽지 않은 길이구나. 이제는 뭔가 성숙하고 지도자 같은 모습이 되고 싶다. 여전히 평화롭고, 여유 있고, 넉넉한 모습 말이야. 무엇이 더 채워져야 할까. 성경 공부에 좀 더 매진한다면 나아질까. 사회생활을 더 한다면 나아질까.

그래, 국민들이 좋아하는 모습으로 내가 살고 있는 거야. 한국 사회는 너무 강한 권력 주체가 등장하는 것을 싫어해. 국민들에게 잘 적응된 모습으로 살아가고 있어. 내가 더 지혜로워지면 국민들은 더 질투를 느끼고, 그들의 권력이 무너질까 봐 불편해하고 있어. 더 성장하려 한다면, 혼자서 다 하려는 욕심쟁이처럼 나를 바라보며 미워할 거야. 너무 올라갔기 때문에 떨어져야 하기도 하는 거야. 그것이 균형이지. 격암유록에서 '제발 남 잘되는 것을 싫어하지 말아라. 조선 사람들 인심이 악화되면 너희 앞길이 말이 아니네.'[2]라는 말이 이해가 간다. 나는 이렇게 국민들이 보고 싶은 모습으로 살아가고 있는 거야. 권력은 국민에게서 나오는 건데, 나의 권력은 하늘로부터 나오고 있잖아. 그것이 문제야. 그래서 진정한 권력자인 국민들이 위기의식을 느끼고 나에게 반응하지 않는 거야. 평범한 정치인들은 국민들의 표를 얻어야 하기 때문에, 눈치를 보고 국민들에게 권력이 있다는 것을 인지하고 살아가는 척을 하지만, 나의 권력은 하늘로부터 오기 때문에 국민들은 반감을 가질 수 있다는 것이다. 그런 문제가 있었구나… 그래서 나의 성장은 가로막혀 있는 것 같아… 그래서 더 놀고 망가지고 함부로 살아야 할 것 같은 생각이 드는 거야. 같은 실수를 반복하고 싶은 거야. 그게 한국 사회에 적응하는 길이니까. 이것이 문제다. 이 사회에 적응하지 않고, 아웃사이더로 살면서 지도자 역할을 할 수는 없는 거야? 하늘이 바르게 이끄는 권력에 순응할 국민들은 도덕적일 것이고, 하늘

---

2 남사고, "격암유록 (마지막 해역서)", 무공(해역), 좋은 땅, 2013, p.195

을 무시하고 권력을 하늘에 빼앗기고 싶지 않은 국민들은 비교적 도덕적이지 않을 것이다.

　마지막으로 한 가지 묻고 싶어. 전자기기로 감시받는 사회에서 진정한 믿음과 내면의 평화를 지켜가며 살아갈 수 있는 거야? 그래서 전부터 말했잖아. 하루 종일 명상만 하면서 살아보라고. 그러면 모든 것이 제자리를 찾아갈 것이라고. 정보를 전자기기에 표현할수록 정보를 주어서 그들의 권력을 높여주는 거야. 너는 이미 하늘로부터 승인받은 권력이 있어. 그렇다고 전자기기를 사용하지 않고 살아갈 수 있는 세상이야? 별로 감출 것은 없잖아. 어차피 나약한 모습에 공격받아도 응징을 하늘이 할 것이니까 괜찮아. 하늘이 온전히 나의 편이면, 사탄도 하늘의 인도를 받는 거야? 그것은 아닌 것 같아. 하느님의 권능에 대해서 잘 모르고 있는 것 같아. 하느님은 무엇이든 가능하게 하시는 분이야. 작은 순간에도 하느님이 함께하고 계신다는 것을 잊고 있었어. 왜냐면 평범해져야 이 사회에 적응하는 거니까. 아무런 힘이나 권력을 갖지 않은 평범한 존재가 되어야 잘 적응하는 사회이니까. 모두가 그렇게 살아가고 있잖아. 왜 너는 유별나게 튀고 있어. 모두가 하느님의 자녀이고, 만인을 하느님처럼 대한다. 원수를 사랑하라. 자기 용서는 원래 힘든 거야. 그 오랜 시간 동안 너무도 큰 상처를 받아왔는데, 몇 달 만에 청산할 수 있겠어? 너무 무리하지 마. 급할 것은 없어. 그냥 들여다보는 거야. 어디가 아팠고, 왜 힘들었는지. 그러다 보면 나아질 거야. 이렇게 납작 엎드리는구나. 공격받기 전에 납작 엎드리기. 너의 운명에 미국의 운명도 달려있어. 미국의 애국자들은 질서가 바로잡히기를 원하고 있어. 대부분의 국민들은 나의 등장을 원해. 하느님에게 기도해. 저에게 평화롭고 아름다운 것들이 다가오게 해주십시오. 명상을 하지 않고, 기도를 하지 않는구나. 기도는 어떻게 하는 거지? 이렇게 적어 보면서, 마음을 다스리면서 바라는 것을 표현하는 거야.

 내 마음속에 어둠은 없애야 하는 것일까? 나를 종종 하찮게 생각하고, 세상을 원망하기도 하는 마음이 꼭 나쁜 것일까. 오히려 음과 양이 공존하기 때문에 더 강하다고 말할 수 있지 않을까. 불교는 의심하여 깨달으라고 하고, 기독교는 믿으라고 하잖아. 반대되는 것 같지만, 단계와 과정을 보여주는 거라고 생각해. 불교에서도 깨달음 후에는 진리를 깨우쳐 세상을 믿게 된다. 기독교에서도 의심이라는 고난의 과정을 통해서 거듭난 후에는 성령이 함께하시고 믿음이 생기는 거야. 모든 보편 종교는 같은 현상을 여러 각도로 가르치고 있는 것이 아닐까. 지금 나의 단계는 성령이 함께하시니, 천주교의 가르침에 익숙한 것이잖아. 종교에 대해서 깊숙이 들어가면 벽을 느끼고 억압됨을 느끼겠지만, 더 깊숙이 들어가면 모든 종교가 하나라는 것을 알게 되는 것이잖아. 진리는 동일한 것이잖아.

아니. 성사를 받으면, 구원받을 수 있어. 하느님을 믿으면 구원받을 수 있어. 나도 잘 모르겠어. 내가 결론 내리고 싶지 않아. 나는 단지 경험을 진실하게 기록할 뿐이고, 역사가 나를 판단할 것이라고 생각해. 지적으로 판단을 내리고 싶지 않아. 단지 일기를 써나가면 되는 거야.

 견진성사를 받고 나니, 믿음을 강요당하는 느낌이다. 전에는 깨달음으로 인한 자유로움이 있었는데, 악마의 괴롭힘으로 고통도 있었다. 지금도 경계하고는 있지만, 어딘가 자유로움에서 멀어진 것 같은 생각이 든다. 이것은 내가 성경책을 한 번도 채 읽어보지 않아서 그런 것 같다. 어떤 종교 교리든지 너무 다가가면 감옥에 갇히는 것이 아닐지 걱정도 된다. 나의 자유로운 삶에 죄책감을 가져야 한다는 것이 조금 어색하기도 하다. 하지만 몸을 살리는 건강을 생각해 볼 때, 하늘에 순종해야만 자유가 주어지는 것이기 때문에, 하늘의 눈치를 보아야 건강하게 살 수 있다. 그렇게 조금씩 생각을 진전시켜 가다 보면 무언가 알게 될 거야. 천천히 해도 돼. 나는 너 좋아. 적당히 어둠과 빛이 섞여 있어서 좋아. 그런 불완전한 인간이라서 좋아. 신으로 군림하려고 하지 않고, 성실하게 하루하루 살아가는 네가 좋아. 중요한 것은 견진성사를 통해서 나의 지혜가 높아졌다는 것이고, 하느님이 언제나 함께하신다는 것을 알게 되었고, 기도와 자유의 능력도 알게 되었고, 하느님에 대한 믿음을 갖게 되었다는 것이다. 그리고 하느님은 내가 부족한 인간으로서 살아가길 원하신다는 것이다. 그게 다야. 감옥은 없어. 잠시 잊을 수는 있어. 하지만 곧 돌아오게 돼.

2023년 8월 26일

 하느님 제가 이제 사람답게 살아가고 있습니다. 과거에는 삶에 여유도 없고, 가치를 지키지 못하고 생존만을 위해 살아왔는데, 이제는 하루를 안정적으로 관리하며 감사하게 살아가고 있습니다. 이 세상에 지도자로서 출현한다는 것은 진리를 더 알아서 실천하며 살아가는 것을 뜻하는 것이겠지요. 과거에는 단지 생존과 행복만을 생각하며 살았는데, 이제는 하느님을 좀 더 의식하며 살아가게 되었습니다. 하느님, 저는 당신의 보살핌으로 잘 살아가고 있습니다. 우리 한국 사람들을 지켜주십시오… 그들이 각성하여 새로운 희망을 꿈꿀 수 있도록 도와주십시오… 그래서 몸과 마음을 치유할 수 있게 도와주십시오… 불쌍한 사람들을 도와주십시오… 세상을 심판해서는 안 된다고 알려주신 대로, 세상을 평화롭게 이끌어 주십시오… 많은 사람들이 기도하고 있습니다… 부디 자비를 베푸시어 어려움에 처한 사람들을 이끌어 주시고, 모든 사람들이 영원한 삶의 희망을 품고, 행복하게 살아갈 수 있도록 도와주십시오… 그동안 악행을 저지른 사람들에게도 자비를 베푸소서. 모든 것을 새롭게 하시어, 한마음으로 모든 인류가 새 출발 할 수 있도록 이끌어 주소서.

전자기기로 시간을 많이 보낼수록 믿음의 환경은 아니야. 사색하고 독서하는 것이 믿음의 환경이야. 타로로부터 멀어지게 해주신 것처럼 전자기기에서 정보를 구하는 시간보다, 독서를 통해서 거듭나게 해주소서. 혹은 전자기기를 통해서 저를 조종하려는 존재가 멸망하도록 도와주소서. 그래서 감히 아무도 저를 조종하지 못하게 해주소서. 제가 오로지 저의 행복을 위해서 정보를 접하고, 세상과 소통하게 도와주소서. 세력에 종속되면 안 되고, 세력과 너무 가까워져서도 안 된다. 적당히 거리를 유지하는 것이 중요하다. 나는 언제나 국민들의 편에 서 있어야 하는 것이다. 대중들을 사랑하는 입장을 견지해야 한다. 대통령 직무를 수행하기 위해서는 정규직 일상에 익숙해져야 하기 때문에 출근해서 일하는 일자리를 가져야 하는가. 모든 것은 성령님이 인도하실 것이다. 의심하지 말고 평소에 기도를 많이 해라. 국민들이 나의 활동을 알게 되는 만큼 내가 성장해서 기대에 부응했으면 좋겠다. 책이 널리 알려졌으면 좋겠다.

2023년 8월 28일

 오늘은 새로운 정당인 한국의희망 창당식이 있어서 다녀왔다. 최진석 교수님과 양향자 국회의원에게 '믿음의 길' 책을 선물로 드렸다. 한국의희망이 등장하여 내 책이 더욱 가치가 있는 것이기에 그에 대한 감사함을 표현했다. 일정이 바빠서 선물할 시간이 없으면 어쩌나 하고 걱정했는데, 예정 시간 보다 일찍 갔고, 끝나고도 자연스러운 시간이 있어서 드릴 수 있어 다행이었다. 최진석 교수님이 나를 못 알아보시면 어쩌나 하고 걱정했는데, 반갑게 맞아주셔서 기분이 좋았다. 이렇게 나의 믿음은 점점 강화되고 있다.

2023년 8월 30일

 나는 약속을 함부로 해서는 안 된다는 생각을 했다. 오늘은 도서관에 책을 반납하는 기일이었는데, 책을 반납하고 후련한 마음이 되었다. 지금까지 도서관에서 수없이 책을 빌리면서 반납 기일을 놓친 적이 거의 없는 것 같다. 그것은 그 약속을 지키지 못하면 내 마음이 너무나 불편해서 삶이 어려워지기 때문이다. 그래서 나와 같은 사람은 약속을 함부로 해서는 안 되고, 말도 함부로 해서는 안 되는 것이다. 과거에는 남녀를 불문하고 상대를 대할 때 수줍음을 느끼는 성격에 대해서 콤플렉스를 갖곤 했는데, 지금은 사랑스러운 나의 특성으로 받아들이기로 했다. 그만큼 상대를 소중히 하고 자신을 낮춘다는 의미이기 때문이다.

성당의 카페 봉사 시간을 늘리기로 했다. 주일에 미사가 끝난 직후에 사람이 많이 몰려서 일손이 부족할 것이기에, 그 시간을 위주로 격주로 주일에 더 돕기로 했다. 마음의 평화를 얻어본 사람에게 마음이 불편한 것은 참을 수 없는 일이다. 마음이 불편한 것은 함부로 해서는 안 되는 것이다. 그것이 나를 지킬 것이다. 세상과 직접적인 교류를 하지 않을 때에는 전자기기를 통해서 소통하려는 마음으로 정신이 혼탁해지곤 했는데, 이제 성당 활동에 적극적으로 참여할수록 나의 정신이 독립적이고 건강해지는 것 같아서 기분이 좋다. 현실에서의 삶에 집중해야 한다. 이미 비전은 많이 갖추어졌으니, 이제는 사회활동을 통해서 나를 좀 더 낮추고, 그들을 섬기며 나를 다듬어 가야 한다.

2023년 8월 31일

정말 성령님이 다 하시는 것이구나. 문득 '믿음의 길' 책을 정당과 성당 관계자분들에게 선물해야겠다는 생각이 들었는데, 좋은 결과를 만들 것 같다. 성당의 사제님들에게 내가 직접 디자인한 명함을 끼운 새 책을 드려야겠다. 이번 달에는 돈을 너무 많이 써서 걱정이다. 다음 달에는 아껴 써야겠다. 과거에는 대권을 향해 정치인들이 걸어갈 때 언론에서 자연스럽게 길을 닦아주던데, 나를 위한 길은 오히려 가로막는 것 같다. 그렇다면, 한국은 망하는 길로 들어설 것이다. 앞으로 내가 걸어가는 길이 평탄하고 안정되며 행복했으면 좋겠다. 그것이 이 세상에 복을 가져다준 자에 대한 마땅한 보상이다. 이제 당신들은 나의 존재를 인정해야 할 것이다. 가난하지만 잘난 사람으로 살아가는 것은 힘든 일이다. 그 오랜 시간 동안 사회로부터 상처받은 것들이 쌓여있는데, 하루아침에 풀어내기는 어려울 것 같다. 하늘은 가장 약했던 자에게 가장 거대한 힘을 주어서 인간들을 겸손하게 다스리려고 하는 것 같다. 자기표현은 절제해야 한다. 나는 원체 독특한 인간이기 때문에, 가까이 다가가면 다른 사람이라는 인상을 주어 적대감을 만드는 것이다. 나의 개성을 지켜가려면 침묵하고 낯설어져야 하는데, 사람들은 불편하게 생각할 것이다. 그럴수록 사회활동을 해야 한다. 나를 애써 지우는 일이 필요하다. 그리고 상대방을 초대하고 섬기며, 자신을 죽이는 것이다. 모두가 그렇게 사회활동을 하고 있는 것 같다. 지나친 자의식이 상대를 불편하게 하는 것이다. 결정적으로 내가 상대를 불신하면 언젠가 상대도 나에게 그렇게 할 것이다. 사회생활을 할수록 외로움을 느낀다. 그래도 나는 다시 시작하는 마음으로, 기도를 통해서 그들의 마음을 변화시킬 것이다. '내 앞에 길을 열어주지 않으면, 한국은 망하게 될 것이다.'라고 말하는 것은 위험하다. 길을 여는 것이 한국인들 자발적으로 할 수 없는 일일 수도 있기 때문이다. 현실적으로 강대국들의 압박이 너무 커서 그 길이 가로막혀 있을 수도 있기 때문이다. 그래서 바람을 이렇게 바꾸면 되겠다. 온 세계가 앞으로 제가 걸어갈 길을 응원하고 지지하게 도와주십시오. 그리고 한국이 세계 초강대국으로 성장하게 도와주십시오. 국민들이 각성해서 역사의식을 갖게 해주시고, 저 역시 담대한 비전으로 채워주십시오. 항상 감사합니다. 상처를 좀 더 치유해야 하겠습니다.

2023년 9월 4일

어제는 성당에서 '한얼 미사 성가 잔치'가 있었다. 구역마다 팀을 정해서 이번에 새로 도입한 국악 미사곡을 연습해서 부르는 경연 대회였다. 같은 동네에 사는 신자들을 만날 기회가 되어 좋은 시간이 되었다. 앞에 나가서 노래를 부르는 것이 조금 떨렸지만, 건강하고 좋은 자극이 되었다. 인도의 철학자 오쇼 라즈니쉬에 따르면, 깨달음에 도달한 두뇌는 손상이 있어서 많은 경우 침묵할 수밖에 없는 두뇌 상태를 가진다고 하는데, 앞에 나가서 당당하게 노래를 부를 수 있는 상태라는 것이 기뻤다. 그만큼 나의 두뇌가 강하다는 것이다. 많은 극복과 치유를 만들어 갈 수 있는 나의 인생에 박수를 보낸다. 비록 수상을 하지는 못했지만, 대인관계 경험을 통해서 나를 낮추고, 내 마음속 어딘가 남아있는 부정성을 치유할 기회를 얻어 감사했다. 나와 세상에 대한 세계관을 좀 더 건강하게 만들어서 어떤 상황에서도 자연스럽게 지낼 수 있도록 해야겠다. 현재 나에게 가장 필요한 단계라는 확신이 든다. 사회생활을 통해서 나를 돌아보고 낮추는 경험도 소중하고, 성당 활동과 미사 참여를 통해서 점점 거룩한 정신으로 거듭나고 있음에 감사한다. 지도자로 역할 해야 하는 순간까지, 바로 서지 못하면 어쩌나 하고 걱정했는데, 이렇게 한주에 두 번씩 미사에 참여하고 나를 낮추다 보면, 누구보다 지도자다운 모습을 갖추게 될 것이다. 나에게는 어떤 지식적인 교육보다 사회 경험을 통한 다스림이 중요한 것 같다. 사회생활은 일정한 거리를 유지한 채, 배려하고 예의를 다해야 하는 것이다. 내가 먼저 너무 다가가서 자기 얘기를 하고, 상대를 파고드는 것은 무례한 것이다. 사회생활의 감을 다시 찾아서 누구보다 예의 바르고 안정적인 사랑을 실천하는 신앙인이 되고 싶다.

2023년 9월 5일

오늘은 뜻깊은 날이었다. 며칠 전부터 성당의 사제님들에게 '믿음의 길' 책을 선물로 드려야 한다는 생각을 했는데, 행동으로 옮길 수 있었다. 견진성사가 나에게 너무나 큰 축복이 되었기 때문에, 진정한 믿음의 길로 이끌어 주신 사제님들에게 감사의 표시를 하고 싶었다. 처음에는 결심하고 나서도 걱정이 되었다. 책의 내용이 '나는 예수이고, 구원자이며, 하느님이다.'라고 고백하는 것이었기 때문에, 그것이 진실이 아닐 경우, 심각한 정신병자로 유명해지는 위험을 감수해야 하는 일이었기 때문이다. 어쩌면 성당에서의 활동에 제약이 생길 수도 있었기 때문이다. 하지만, 나는 믿음을 갖고, 주임 신부님에게 준비한 여섯 권의 책을 드렸다. 전날부터 카페 봉사가 끝나고 신부님에게 책을 드릴 타이밍을 고려하고 있었는데, 사무장님이 도와주셔서 제때 선물을 드릴 수 있었다. 조금의 시간이 흐른 뒤, 내가 봉사하고 있었던 카페에 오신 신부님은 앞부분을 읽어보았는데 좋았다고 말씀하시며, 신자들에게 알려주시려는 듯 말씀하셨다. 내 인생이 어떻게 될지 모르겠지만, 무척 떨리고, 기대도 된다. 내 안의 부정성을 잘 다스려야 한다. 내가 실수하지 않았으면 좋겠다.

　화가 난다. 국민들은 내가 성장하고, 똑똑하고, 유능해지는 것을 원치 않는가? 내가 모든 것을 다루려고 한다면, 공화주의가 안되기 때문에? 새로운 세력의 마음대로 권력을 행사하고 싶은 것이 아닌가. 한마디로 하늘로부터 부여받은 나의 권력이 강해지는 것을 경계하는 것이 아닌가. 세상은 내가 똑똑해지는 것을 원하지 않는 것 같다. 가족들도 마찬가지다. 언제나 배시시 웃고 있는 바보로 살아가길 바라는 것 같다. 내가 유능해져야 하는 이유는 무엇인가. 국민들을 지키기 위한 것이다. 힘이라는 것은 언제나 견제가 필요하다. 그들이 나를 견제하는 것과 같이, 나 역시 그들을 견제할 수 있도록 유능해져야 한다는 것이다. 세력과는 너무 친해지면 안 된다. 세력이 가는 길에 종속되고, 무조건적으로 추종해서는 안 된다. 나는 언제나 최후의 보루로써, 국민들의 입장을 대변해야 하는 것이다. 그것이 바로 힘의 균형이고, 항구적인 평화를 지킬 수 있는 길이다. 결론은 세력에 종속되지 말고, 스스로 유능해져야 한다는 것이다.

2023년 9월 8일

평일에 성당 미사에 더 나가기로 했다. 원래는 화요일에 카페 봉사하기 전 미사에 참여했었는데, 목요일에도 미사 참석 후 카페 일을 돕기로 했다. 내가 타로의 의심과 부정성에서 벗어나기 위해서는 좀 더 거룩해져야 한다는 생각이 들었다. 마침 목요일에 카페 봉사하는 인원이 부족하다고 하여, 짧게라도 틈틈이 도울 생각이다. 카페 봉사 인원이 부족하다고 걱정했는데, 미사를 마치고 30분 정도 사람이 모이는 시간에만 도와준다면 훨씬 나을 것이라는 생각이 들었다. 봉사 인원이 부족할 것이라는 생각에 갔더니, 이미 다른 봉사자들이 돕고 있어서 다행이었다. 인간의 성장에는 내가 잘 모른다는 것을 받아들이는 것이 중요한 것 같다. 쉽게 판단하지 않는 것이다. 그래야 심판하지 않고, 모두와 평화롭게 지낼 수 있는 것이다.

"미래를 너무 알려고 하지 마. 기도하면서 현재를 충실히 살아간다면, 아무런 문제가 없어. 너는 이미 모든 것을 소유하고 있잖아."

지금 중요한 것은 자신을 더 사랑하는 것과 지금까지 썼던 책을 읽어보는 일이다. 한국의희망 정치학교에는 지원하지 않는 게 좋을 것이라는 판단이다. 내면의 안내가 있었다. 어디까지나 나의 역할은 영적 지도자의 역할이다. 판단하고 분별하려고 훈련받다 보면, 미움이 생기고 내면의 평화를 지킬 수 없을 것이다. 나의 굳건함과 여유를 지키고 싶다. 남들은 게으르다고 말할지 모르겠지만, 하느님이 가시는 길은 재빠르지 않다. 게으른 하느님의 속성을 닮아 내면과 소통하면서 영적으로 걸어 나간다면, 좋은 글을 쓸 수 있을 것이다. 하느님이 나를 통해서 말씀해 주셔서 감사하다. 오늘처럼 행복한 날이 영원히 지속되었으면 좋겠다. 나는 하느님과 함께 살아가는 신자이기 때문에, 좀 더 여유롭고 평화로운 생활을 해나가야 한다. 언제나 함께한다는 사실을 기억하자. 하느님 감사합니다.

2023년 9월 10일

 현재 나는 애매한 입장이다. 유명인이라고 하기에는 공식적으로 널리 알려지지 않았고, 공인을 향한 길에 들어서 있기 때문에 어려운 입장에 놓여있다. 아예 우수함을 널리 인정받은 상태라면, 주변 사람들도 나를 존중해 줄 것이다. 하지만, 자신을 내세워 놓고, 아직은 인정받지 않은 약한 상태이기 때문에, 사람들이 나를 어떻게 대해야 하는지 곤란해하는 것 같다. 자본주의적 관점에서 본다면, 널리 알려져 돈을 벌지 못하는 작가는 사실상 백수이기 때문이다. 한국 사람들은 강자에게 약하고, 약자에게 강하기 때문에 나를 추앙해 줄 것인지, 무시해 줄 것인지 곤란해하는 것 같다. 잘날 것이라면 뛰어나게 잘나서 사람들을 한껏 눌러주어야 무시당하지 않을 수 있는 것이다. 내 주변에 누군가를 험담하는 사람들이 보이는 것을 보면, 아직 내가 수행해야 하는 상태인가 보다. 내가 나도 모르게 사람들을 외면하고, 편견으로 무시하고 있는지도 모른다. 과거에는 인간관계에서 어려움을 겪을 때 곤란해했는데, 이제는 하느님의 자녀로서 기도하며 그들이 나에게 잘 대해줄 것이라고 믿어야 한다. 유명인으로서 세상에 나간다면, 나를 무시하고 질투하는 사람들이 많을 수 있는데, 그런 사람들에 미리 대비하여, 그럼에도 낮은 자세를 지켜가는 것이 진정한 수행일 것이다. 사람들과 부대끼기 전에는 내가 스스로 완전하고 평화롭다고 생각했다. 하지만,

사람들과 대할수록 수행이 부족함을 느낀다. 좋은 것을 너무 추구하지 않아야 나쁜 것도 오지 않는다고 했다. 너무 좋아하고, 너무 싫어하는 마음 상태라면, 국가 지도자로서 미움에 쉽게 노출되어 국가와 국민들이 위험해질 수 있다. 나는 내가 너무나 대단해 보일 수 있기 때문에, 오히려 결점을 노출하고 편하게 대했는데, 그것이 나를 만만하게 보이게 한 것인지도 모른다. 하지만, 모든 것을 처음처럼 다시 시작하면 된다. 아무 일도 없었던 것처럼 사랑의 시선으로 사람들을 바라보고 믿어주면 된다. 견진성사의 과정을 통해서 믿음을 가졌다고? 그 믿음을 안착시키기 위해서 삶이 나를 훈련하는 것 같다. 이론적으로는 알았지? 이제 실천의 영역에서 굳건하게 만들어봐. 사람을 쉽게 판단하지 말고, 어떤 행동을 보고 단정하지 말고, 믿어주어야 한다. 성령의 힘으로 누구든지 변화할 수 있기 때문이다. 나 역시 하느님의 도움이 있었기 때문에 그릇과 하나로 만들어진 것이다. 그런 경험이 없었다면, 나 역시 어려움을 갖고 살아갔을 것이다.

너의 봉사활동은 가장 중요한 교육의 공간이다. 새롭게 다시 태어나라. 언제나 낮은 자세로 타인을 섬기며 살아가라. 타인과 자신을 구분 짓지 마라. 자의식을 버리고, 형제자매들에게 관심을 가져라. 죄의식을 먼저 준비해서 상대를 가해자로 만들지 마라. 너무 가까이 다가가지 말고, 적당한 거리를 유지하는 것이 예의를 지키는 길이다. 무엇이 걱정인가. 바라고, 기도하고, 믿어라. 모두가 하느님의 종으로서 역할을 다하고 살아간다. 너만이 특별하고 유능하다는 생각을 버릴수록 꿈에 가까워질 것이다. 특별하고 유능하다는 평가는 스스로 하는 것이 아니라, 주변이 만들어 주는 것이다. 현재 만나는 모든 사람들이 제일 소중한 사람들이다. 편견을 버리고, 그들의 그 모든 경험과 역사에 감사하라.

2023년 9월 11일

종교를 믿고 살아가면 죄의식을 갖게 된다고 한다. 그것이 인간의 진정한 독립을 가로막을 수 있다는 것이다. 그렇지만, 성당에서 미사에 참여할수록 내 정신이 더욱 자유로워지고, 타로를 자주 하지 않을수록 믿음을 충만하게 지켜갈 수 있어서 내면이 평화로워진다. 그 어떤 책의 내용도 나의 경험을 통해서 받아들여야 한다. 무조건 죄의식이 나쁘다고 해서는 안 된다. 평화로운 믿음의 마음을 해치기 때문에 죄라고 하는 것이다. 죄라고 해서 죄가 아니라, 마음의 평화를 해치는 모든 활동은 피해야 하는 것이다. 성령의 은혜로 몸과 정신에 해로운 것들은 가로막힌다. 그래서 다행이야.

2023년 9월 14일

 한국 사람들은 강자에게 약하고, 약자에게 강한 특성이 있는 것 같다. 그것은 그 사람을 탓할 것이 아니라, 한국 사회에서 적응하면서 열심히 살아왔다는 뜻이다. 나 역시 내면에서 사람들을 무시하는 품성이 감지될 때가 있는데, 그런 면에 대해서 죄책감을 느끼기도 했다. 하지만, 그 역시 한국 사회에서 갑을 관계의 질서에 적응하면서 잘 살아왔다는 증거가 아닌가. 그래서 사람들을 쉽게 무시하는 사람들을 만날 때마다 상처받을 필요는 없다. 우리는 모두 어느 정도 그런 품성을 안고 살아가고 있는 것이다. 그래서 그런지 카페 일을 하면서 사람들을 만나도 상처받을 때가 있다. 내가 피해의식을 갖고 있고, 사람들을 쉽게 믿지 못한다고 종종 주변에서 말하는데, 나처럼 독특하고 예민한 사람이 마음을 열고 다가가면, 그들은 거친 시선으로 나를 잘 알지 못한 채 대하기 때문에 나로서는 무례하게 느껴지는 것이다. 내가 사람들을 경계하고, 거리를 두고, 홀로 지내려고 하는 것은 나를 지키기 위함이다. 사람은 자신과 다른 존재에 대해서 함부로 대하는 경향이 있는 것이다. 카페 봉사를 할 때도 내가 업무에 실수하여 폐를 끼치지 않기 위해서 낮은 자세로 죄의식을 갖고 대해서 그런지, 남들도 할 수 있는 실수들인데도 나에게는 더욱 질책하는 것 같다. 내가 지나치게 죄의식을 갖고 지내다 보니, 사람들이 나에게 함부로 대하기도 하는 것 같다. 그것은 그들을 탓할 것만은 아니다. 모든 것은 상호적이라서 내가 실수하지 않으려는 낮은 자세로 조심스럽게 행동하니, 그들도 나에게 아르바이트생 대하듯이 대하는 것 같다. 오늘은 여러 번 그런 느낌을 받아서 정색을 하고 자기표현을 했다. 처음에는 모든 사람들에게 하느님처럼 잘 대해야 한다는 생각으로 조심했는데, 자기표현을 하지 않으면 무시당하는 것 같다는 생각이 들었기 때문이다. 한국 사회에서는 모두가 조금씩 무시당하고 살아가기 때문에, 쉽게 남을 무시한다. 똑같이 갚아주는 것이다. 그래서 아무도 무시하지 못하는 힘을 갖는 것이 강력한 처방이 되는 것이다. 나처럼 독특한 성격은 쉽게 무시당한다고 생각할 수 있기 때문에, 쉽게 피해의식이 생긴다는 것을 알겠다. 세상은 이런 나에 대해서 뭐라고 하지 마라. 적응하지 못한다고 뭐라고 하지 마라. 나는 예민하고, 섬세한 성격을 가지고 있는 것이다. 이런 성격의 사람이 일반 조직 생활을 했다면 심각한 부적응자가 되겠지만, 나의 직업은 작가이기 때문에 괜찮다. 정신병도 일반 조직 생활에서는 흠이지만, 작가이기에 장점이 된다. 이런 나의 운명을 사랑한다.

한국의희망에서 정치학교 모집 공고를 냈는데, 지원해야 할지 며칠 전부터 고민하고 있다. 내면의 안내와 느낌을 생각하면 아직은 때가 아니라는 생각이다. 학비도 90만 원이나 내야하고, 중요한 시기에 집중하기 어려울 것 같다는 생각이다. 나에게는 휴식이 필요하다. 내 운명이 그동안 너무도 힘겹게 달려왔기 때문에, 이제 마무리를 짓고 정리를 해야 하는 시점인 것이다. 급하게 새로운 출발을 하기에는 과하고 마음이 불편하다. 이제는 온전한 내 세상을 만나고 싶다. 나를 어떤 방식으로 교육하고 변화시키지 않아도, 있는 그대로의 모습대로 인정받고, 존중받고 싶다. 세상이 하늘과 함께하는 나의 능력을 알아주었으면 좋겠다. 카페 봉사는 조만간 마무리 지어야 할지도 모르겠다. 그래야 할 것 같은 막연한 느낌이 든다. 공동체와 사회생활이라는 것은 꼭 봉사를 하지 않아도 성당 일정에 참여하는 것으로 가능하다. 더 이상 세상 눈치 보지 말고, 자연스럽게 나대로 살아가고 싶다. 비염이 하루빨리 회복되어 진정한 행복을 만끽하고 싶다. 나는 믿는 대로 인생을 창조할 수 있다. 모든 풍요와 행복이 내 인생에 찾아올 것이다. 세상을 변화시킬 것이다. 많은 사람들이 나에게 감사함을 느낄 것이다. 나는 많은 것들을 누릴 것이고, 그럴 자격이 있다.

이론적으로 배우고 익힌 믿음에 대해서, 실천하고 그 변화를 체험해야 하는 소중한 시간이다. 언니의 건강이 큰 문제 없이 회복되고 있으며, 마음이 불편했던 사람과도 잘 지낼 수 있는 길이 열리고 있는 것 같다. 이 모든 것은 기도의 힘인 것 같다. 문제라고 생각하지 말고, 하느님이 나의 바람을 들어주실 것이라고 기도한다면 이루어진다는 것을 생활 속에서 경험하고 있다. 그래서 문제가 없다고 말씀하시는 것 같다. 오늘 있었던 어려움도 하느님이 조정해 주시기를 기도하자. 배운 것을 체화하는 일에 더 집중해야겠다. 하느님은 산에 다니다 보면 비염이 없어진다고 하셨지. 산에 더 열심히 다녀야겠다. 내가 아직도 삶에서 어려움을 겪는다는 것은 믿음으로 기도하며 삶을 이어가고 있지 않다는 말이다. 믿음과 기도에서 벗어나 되는대로 살아간다면, 평온한 삶은 이어지기 힘들 수도 있다. 그래서 삶이 신호를 보낼 때마다 기도를 하고 하느님의 조정을 기대하자.

2023년 9월 16일

 오늘은 비염 전문 한의원에 가는 날이었는데, 예약 취소를 했다. 얼마 전 한 카페 봉사자와 등산을 다녀왔는데, 비염에 도움이 되는 정보를 얻은 것이다. 유칼립투스 오일을 코밑에 바르면 비염이 완화된다는 것이다. 아이를 기르는 애 엄마인데, 아이들의 비염에 밤마다 오일을 코밑에 발라주면 잘 잔다고 한다. 안 그래도 한의원 치료를 시작한 지 5개월 정도 되었는데, 앞으로 더 비용을 지불해야 할 것을 생각하니 걱정이 되어 추천받은 오일을 발라 보았다. 생각했던 것보다 그 효과가 탁월했다. 성분도 천연 성분이고, 일시적인 증상 완화가 아니라 완전한 치유에 이르게 해준다는 정보도 있었다. 비용도 훨씬 저렴하고, 인체에 자극적이지도 않아서 자주 발라주니 큰 도움이 되는 것 같다. 어제는 정신과 의원에 3개월 만에 다녀왔는데, 선생님의 책상 위에도 유칼립투스 오일이 있었고, 그 얘기를 나누면서 함께 발랐다. 신비로운 동시성을 느꼈다. 하느님에게 비염 치유를 기도했지만, 응답을 받을 수 없어서 답답했는데, 이렇게 인연들을 통해서 하느님이 답을 알려주시는 것 같다. 인간관계의 갈등도 하느님이 바로 잡아 주실 것이라는 믿음으로 안심했더니 잘 풀리는 것 같다. 지금은 이론과 깨달음을 통해서 익힌 믿음을 생활 속에서 활용하는 시간이다. 믿기지 않는다. 비염을 해소할 수 있다니.

수상과 합격에 대한 기대

2023년 9월 18일

　성당의 카페 봉사활동을 마무리하기로 했다. 카페 봉사활동에 신경을 쓰니, 인간관계에서 일어나는 스트레스로 자신을 자책하거나 의심하게 되어 자존감이 떨어졌다. 게다가 한국 정치 상황에 집중하기 어려운 것이 아닌가. 앞으로 조명을 받는다면 정치적인 입장을 분명히 가져야 하는데, 너무 안일하게 세상을 등지고 있는 것이 아닌가 하는 생각이 들었다. 행복하게 성당에 다니면서 좀 더 거룩해지고 싶다. 앞으로는 성당 일정에 적극적으로 참여하면서 넉넉하고 평화로운 정신으로 사람들을 맞이하고 싶다. 내 역할에 대해서 더 이상 갈등하고 싶지 않다는 결론이다. 그동안 신부님께서 내가 카페 봉사활동을 하는 것을 좋게 봐주셨는데, 실망하시지 않았으면 좋겠다. 나는 단지 평화롭고 아름다운 마음을 지속하며 성당 활동에 참여하고 싶고, 그런 마음으로 형제자매들에게 사랑을 전해주고 싶다.

 거지처럼 행동하면서 착한척하지 마. 능력과 운명에 대해서 모른 척하지 마. 그 힘은 하늘이 너에게 준 거야. 하늘이 너를 잘 단련시킨 만큼 믿기 때문에 허락하는 것이다. 그러니, 당당한 마음을 갖고, 죄송하게 생각하지 마. 너무 죄의식 느끼면서 살지 마. 너무 하늘 눈치 보지 말고, 자유롭게 살아. 자유롭게 산다고 해서 사악하게 살 것은 아니잖아. 인생의 무게를 너무 무겁게 가져가지 마. 너의 인생도 있는 거야. 타인을 해치지 않기 위해서 내 행복은 모두 포기하고 살아야 할까? 그들이 나에게 맞춰주기도 해야 하는 거야. 네가 당당할수록 세상이 너를 따라오는 거야. 역겨운 것은 역겹다고 생각해도 돼. 과거의 예수님도 비판적인 발언 하셨어. 항상 천사처럼 모든 것을 용서하라고 말씀하시진 않을 거야. 네가 세상에 다 맞추려고 하니까, 세상이 너에게 안 맞추어 주는 거야. 그냥 떳떳하고 당당하게 살아. 그러면 세상이 맞춰줄 테니까.

2023년 9월 19일

모든 일은 성령님이 하시는 일이다. 이렇게 일이 진행되는 것을 보면, 내가 봉사를 그만하도록 이끄시는 것 같다. 성당은 하느님의 집이기 때문에 봉사를 오래 하기를 바라시는 것이 아니라, 나를 더 성장시키고, 다음 단계로 나아가게 이끄시는 것 같다. 생각해 보면, 봉사자 채팅창을 통해서 매일 소식을 보아야 하고, 봉사자들이 부족한 날에는 언제라도 미사가 끝나고 일을 도와야 한다는 부담감에 신경이 쓰였던 것 같다. 그래서 성당 활동만 다 하면 하루 할 일을 다한 것 같은 느낌을 받았는데, 그것이 경제활동을 하지 않는 나에게 도움이 되지 않는다는 생각이 들었다. 나를 의심하고 질책하는 환경이 아니라, 세상에 단독자로 서서 메시지를 전해야 한다면, 나의 자존감은 지켜져야 한다. 공인으로서 역할 하며 살아간다는 것은 제약이 많은 삶인 것 같다. 하루 중에 있었던 상처를 치유하기 위해서 어떤 상대에게 남을 비판하며 털어놓는 말도 누군가에게 전해질 수 있기 때문이다. 형제는 백 번이고 용서해야 하는 것이 아닌가. 이런 식이라면, 최대한 사람들과 엮이지 않는 것이 좋다. 고독한 운명을 받아들여야 한다. 너무 이질적인 존재는 가까이 다가가면 그들에게 본의 아니게 상처를 주게 되어있다. 그래서 언제나 죄의식을 갖고 대해야 한다. 그런 것이 서로에게 불편할 것이다. 건강한 관계라는 것은 남을 속이지 않는 것이다. 지금은 사회적 정체성이 애매한 상태라서 실수를 하기도 하고, 하지 않기도 하는 것이다. 어떤 면에서는 실수이고, 어떤 면에서는 자연스러운 모습이다. 사회적 역할에 안정감을 가질 수 있을 때, 더 건강한 관계를 만들어 나갈 수 있다. 확실히 그날은 이상하게 별일 아닌 것에 대해서 질책을 받고, 신경을 곤두서게 만드는 일이 많았던 것 같다. 나는 더 이상 죄책감 갖지 않겠다. 이런 불안함을 통해서 하느님이 길을 여시는 것 같다.

2023년 9월 20일

하느님의 말씀을 믿는 나는 이제 사회적으로 널리 알려질 수 있는 시간이 다가오고 있다는 것을 알고 있다. 그에 대비해서 부정적인 경험들을 정화하고, 나 자신을 고요하게 유지해야 한다는 생각이 든다. 그리고 세상에 어떤 메시지를 전할 수 있을지 생각해 보아야 한다. 그만큼 세계 문제나 정치적인 상황에 관심을 기울이고, 자신을 가다듬어 가야 한다. 사람을 함부로 사귀어서는 안 된다. 너무 다른 사람에게 정보를 노출하는 일은 약점을 보여주는 일이다. 누구라도 언제든 적이 될 수 있다. 나를 잘 보호해야 한다. 선하고 맑은 것이 등장하면 주변을 악하고, 어두운 것으로 만드는 것이다. 그래서 단체생활은 하지 않는 게 낫다는 생각이다. 쓸데없이 적을 만들 필요는 없다. 나는 맑은 정신을 지켜가야 할 의무가 있다. 더 이상 내 안의 하느님을 힘들게 해서는 안 된다.

"그들은 특별히 악하지도, 선하지도 않은 평범한 사람들이다. 단지 네가 너무 선함을 표현했기 때문에, 그들의 어둠을 자극한 것이다."

 이런 생각을 해보니, 지금까지 내가 살아오는 동안에 나에게 적대적으로 대했던 사람들에 대해서 이해가 간다. 내가 너무나 다른 존재이고, 그들을 위축시키고 어둡게 만들기 때문에 미움을 받은 것이다. 그래서 항상 죄의식을 갖고 사람들을 대하며 자신감이 없는 것이다. 하지만! 세상의 인정을 크게 받게 된다면, 나의 행적이 그들에게도 이로운 일이라면, 나를 더 이상 미워하는 사람들은 사라질 것이다. 괜찮다. 이제는 다 좋아질 것이다. 그러니 더 애정으로 사람들을 대하자.

 성당의 교우분들과 잘 지낼 수 있게 도와주십시오… 사제님들의 마음을 상하지 않게 해주십시오… 미사로 거듭나, 좀 더 거룩한 정신을 갖게 해주십시오… 무조건 '예스'라고 하지 말고, 네가 불편한 상대는 밀어내. 내면에서 신호를 주는 거야. 그리고 적을 만든다고 할지라도, 적이 있는 만큼 행실에 더욱 신경 쓰면서 긴장감을 갖고 살면 되잖아. 시간을 아껴 써야 해. 원래 너무 다르면 가까이할 수 없는 거야. 비염이 해결되어서 너무나 행복하다. 유칼립투스 오일이라는 아로마치료법을 알게 된 것도 너무 감사하다. 하느님, 감사합니다. 저는 덕분에 잘 지내고 있습니다. 그동안 저의 길을 이끌어 주셔서 감사합니다. 모든 사람들의 마음속에 평화가 깃들기를 바랍니다. 제가 불화나 갈등을 만들지 않고, 평화롭게 단체활동을 마무리할 수 있도록 도와주십시오… 제가 세상을 사랑하고, 긍정하며 걸어 나갈 수 있도록 도와주십시오…

2018년부터 2021년까지 노벨상 수상을 염원했지만, 이루어지지 않았던 결과 덕분에, 마음에 굳은살이 생긴 것 같다. 하지만, 이렇게 하느님에 대한 믿음을 주장하는 와중에, 지난 5년간의 활동을 마무리하는 시점에 인정받지 못한다면 이치에 맞지 않기 때문에, 믿음을 갖고 있다. 하느님을 믿지 않을 때는 이 세상이 무작위적이며 알 수 없는 세계를 만들어 간다고 생각했는데, 각본이 모두 짜여 있었다는 것이 놀랍다. 기적이 이루어진다는 것이 참 놀랍다. 이런 인생이 예정되어 있다니. 그동안 내가 걸어온 인생에 대해서 한없이 감사함을 느낀다. 예술은 완벽으로 만드는 것이 아니다. 인간은 현재를 듬성듬성 살아가며 때에 맞게 여정을 갈 뿐, 완벽은 신이 하는 것이다. 그러니, 너무 걱정하지 말고, 하느님에게 온전히 나를 맡기자. 이제 내가 집중하고 목소리를 내야 하는 분야는 정치다. 나는 대한민국의 근본적인 문제를 해결하고 싶다. 세계적인 문제를 해결하고 싶다. 세계의 평화와 가정의 평화를 바랍니다.

2023년 9월 21일

 생각해 보면, 내가 공동체에서 진심으로 관계를 만들려고 하지 않고, 철벽을 쳐서 약간 반감을 샀는지도 모른다. 나는 예민하고 섬세한 성격이라서, 나와 다른 존재들과 갑자기 거리가 가까워진다면 상처를 잘 받는다. 그래서 사람들을 대할 때, 쉽게 마음을 열지 않고 방어적으로 대하는 것이다. 처음에는 나에게 호감을 느끼고 다가오던 사람들도 이런 나의 철벽 때문에 반감을 갖게 되는 것 같다. 애초에 관계에 욕심이 별로 없다 보니, 본의 아니게 그들을 무시하고 상처를 줄 수 있다. 또 한 가지는 내가 하느님에 대해서 진정으로 믿음을 갖지 못해서 일 수도 있다. 처음에는 방어적으로 대하고, 그들이 나에게 평범하게 대하지만, 다름으로 인해서 그들이 상처를 줄 때, 쉽게 과거의 경험으로 인해서 편견을 갖는 것이다. 그런 믿음을 강화해 가다 보면, 잘 적응하지 못하게 되는 것이다. 그래서 근본적인 원인은 내가 관계를 진심으로 맺으려고 하지 않았다는 것과 나와 너무 다른 사람들과는 관계를 맺기 힘들다는 것. 그로 인해서 그들을 무시할 수 있었다는 것이다. 그동안 많은 공동체에서 처음에는 사람들이 나에게 호감을 갖고 다가오지만, 나의 철벽성으로 인해서 그들에게 상처를 주고, 반감을 사게 되는 패턴이 많이 있었다. 상처를 받기 쉬운 나는 단지 나를 지키고 싶었던 것인데, 오만하게 상대를 무시하는 느낌을 줄 수 있다는 것을 알겠다.

또 한 가지는 너무 저자세로 을의 입장에서 굽신거리면, 갑질을 불러온다는 것이다. 일에 익숙하지 않아 실수를 종종 하여 너무 불안정하게 을로써 행동하니, 상대는 갑으로서 역할 하게 되는 것이 아닌가. 어리숙한 모습으로 나를 조정해야 사람들에게 불편함을 주지 않을 것이라는 생각도 있었다. 그 역시 상대를 속인 것인가. 이 모든 것은 나의 사회적 입장이 분명해지면 해결될 일이다. 높게 존재한다면, 그에 맞게 대우를 해주기 때문에 문제가 없을 것이다. 그렇다. 아무도 잘못은 없다. 과정이고, 이런 것을 알게 되었다면 된 것이다. 이번에는 하느님이 하신 말씀을 믿을 수 있는 사건이 벌어졌으면 좋겠다. 더 이상 상처받지 않고 살아가고 싶다. 나는 소중한 사람이다. 오랜 시간 이끌어 온 나의 역사를 더 이상 의심하지 않고, 사회의 인정을 받았으면 좋겠다. 내가 생활 속에서 작게 어긋난다 하더라도, 하느님이 관대하게 보아주실 것이다. 그동안 비염 증상으로 작은 행동에도 처벌받는다는 생각을 해왔기 때문에, 하느님이 나에게 관대하지 않다고 생각을 해왔다. 그래도 그동안 성당 활동에 적극 참여하여 좋은 일이 많이 있었던 것 같다. 자랑스러운 여정도 기록했고, 비염도 많이 좋아졌으며, 미래 비전에 대한 희망을 품게 되지 않았는가. 나를 홀로 내버려 두었으면 좋겠다.

결국 한국의희망 정치학교에 지원하지 않았다. 처음에는 지원해야 하는 것이 아닌가 하고 갈등했는데, 내면에 여러 번 여쭈어봐도 지원하지 않는 것이 낫다는 것이었다. 이번 나의 결정은 내가 진정으로 하느님을 믿기 시작하면서 결정한 첫 번째 사건이 아닌가 싶다. 전에는 내면의 느낌을 무시할 때도 있었는데, 이번에는 믿고 따르고자 했다. 국민들과 하느님을 위해서 나의 주도권은 확보해야한다는 판단이다. 중요한 시기에 이미 손상된 자존감을 가지고, 다시 나를 변화시키기 위해서 교육을 받는다는 것이 너무 힘들어 보였다. 나는 이제 자존을 지키면서 편하게 살 것이다. 내가 행복해야 세상도 행복해지는 것이다.

2023년 9월 24일

정치학교의 지원 기간이 늘어났다. 그래서 또다시 고민하고 있다. 그동안 마음에 상처를 많이 받았는지, 또 다른 단체생활을 잘할 자신이 없다. 내 성질이 못된 것인지, 역할갈등 때문인지 모르겠지만, 내가 형편없다는 생각이 들었다. 미래에 대통령을 꿈꾸면서도 안일하게 사람들을 대하고 있었다. 그렇다고 내가 대통령이라도 된 듯이 너무 엄격하게 대한다면, 상대방은 불편해할 것이다. 나는 이미 왕의 능력을 가졌는데, 그런 나의 존재를 무시하고, 민주주의 체제를 체화해야 한다는 것이 너무나 큰 상처이다. 나는 이미 존재를 갖추었는데, 세상은 나를 바꾸려고 한다. 그것은 나의 능력을 증명하지 못했기 때문일 텐데, 수상을 한다면 그들이 나의 세계를 대하는 태도도 달라질 것이 아닌가. 내가 부족한 것인지, 세상이 너무 가혹한 것인지, 사람에 대한 불신이 생겼다. 나는 어느 단체에 가더라도, 나를 주장한다면 배척받을 것이다. 나만의 방식을 주장하며 나의 생각을 말할 수 있는 장소는 아니다. 그들이 지향하는 가치를 익혀서 주장해야 하는 교육이라면 나에게 합당한 것인가. 나는 무슨 자신감으로 이렇게 기록하는 것인가. 하느님에게 나의 고민을 아뢰고 해답을 얻고 싶다. 하느님은 분명히 지원하지 말라고 말씀하셨다. 내 생각에도 나는 왕의 역할을 하는 것이지, 평범한 정치인의 역할까지 수행하려고 하다 보면 미움이 올라오고, 무능해져 열등감을 느낄 것이다. 왜 내가 자유롭게 나 자신을 수용하면서 살아가려는 길을 가로막는 것인가? 왕이 나타나면 국민들이 백성이 되기 때문에 성취를 인정하면서도 가로막는 것인가? 나는 나의 뜻을 펼치는 정치를 하고 싶지, 정당의 눈치를 보면서 말해야 하는 정치 지도자의 길은 사양하고 싶다. 나는 영적 지도자에 가까운 것이다. 내가 너무 커지기 전에 그들의 주도권을 확보하기 위함이라는 생각이 든다. 이것은 합리적인 의심이다. 그들의 눈치를 보는 정치를 하고 싶지 않다. 오로지 하느님과 소통하면서 나의 판단으로 정치를 하고 싶다. 나의 성취가 크기 때문에, 내가 뜻을 펼쳐 정치를 하는 것에 대해서는 두려운 마음을 갖고 있는 것 같다. 나는 모든 면에서 잘할 수는 없다. 자연스럽고 쉬운 길이 나의 길이다. 나는 열등감이 크고, 나를 환영해 주지 않는 분위기에서 적응하기 힘들다. 모두가 평등하고, 모두가 가치 있다는 민주주의 교육을 받으면서, 나의 자의식을 죽이고, 그들의 영향력을 키우고 싶어 할 것이다. 나의 업적이 너무나 강해져 있기 때문이다.

이렇게 자연스러운 나의 활동을 가로막는 세상이 원망스럽고 싫다. 나는 단지 숨어서 조용히 세상을 창조하는 작업을 해나가고 싶다. 나를 있는 그대로 존중받고 싶다. 더 이상 피 흘리고 싶지 않다. 인간들에게 너무나 상처를 받은 나는 사회로 나가고 싶지 않다. 내 마음속에 존재하는, 보이지 않는 세상의 시기와 질투에 지쳤다. 나는 어느 단체에서나 죄의식을 갖고 나를 낮추어야 할 것이다. 또는 상식적인 사람들의 기에 눌려서 자신감을 잃고, 이방인처럼 소외될 것이다. 어느 쪽이든 마음에 들지 않는다. 나는 그동안 너무나 상처받았다. 나를 둘러싼 모든 것에 상처받았다. 이제는 세상이 나에게 반창고를 붙여줄 차례가 아닌가? 끝없이 달리고, 노력하고, 헌신해야 하는 것인가. 이런 나의 모습을 보면, 대통령에는 어울리지 않는 것 같다. 나는 문제를 해결하는 사람이지, 대통령은 아닌 것 같다. 왕이면 왕이지, 대통령은 아닌 것 같다. 굳이 구분을 하자면, 나는 하늘의 군대가 따르는 교황에 가까운 사람이지, 정치 지도자는 아닌 것 같다. 나는 무의식의 힘이 커서, 둔하고 느리게 가기 때문이다. 이런 나의 거대한 존재를 두고, 다시 나를 조정해서 사회에 끼워 맞추어야 한다고? 그런 길은 사양하고 싶다.

정치학교에 지원하지 않는다면, 정당 사람들과 인연이 될 기회가 없겠지. 하지만, 10월부터 2개월간 너무나 혼란스럽고, 준비해야 할 것이 많을 것 같아서 교육에 집중하기 힘들 것 같다. 너무나 큰 변화가 들어올 예정인데, 교육이라는 변화까지 감당해야 한다면, 너무 힘들 것 같다. 너무 거대한 세계의 문제를 홀로 감당하다 보니, 문제에 깊이 접근하지 못하고 있다. 봉사활동을 그만둔 것은 잘한 일이다. 거대한 세계가 다가옴이 느껴지는데, 이런 변화 자체를 감당하는 것도 스트레스다. 그런데 교육까지 받으라고? 그들은 왕의 존재가 부담스럽고 싫은 것이다. 나는 왕인데, 나의 존재가 싫은 것이다. 그래서 나의 업적을 무시하고 싶은 것이다. 그렇다면 국민들이 백성이 될 수 있기 때문이다. 국민들도 열심히 했고, 나도 왕으로 잘했다고 인정해 주면 안 되겠어? 왕이 버티고 있어야 국민들에게 진정한 권력이 생긴다는 것을 모르겠어? 민주주의가 좋은 것이니까 나의 업적과 존재를 무시하고, 우리가 잘해서 그런 것이라고 여러 번 외쳐보라. 한국은 가라앉게 될 것이다. 국민들은 내각제도 싫어한다. 절대적인 권력이 나온다면, 과거로 돌아가는 줄 알고 있다. 전쟁 중인 한국 사회에서 뜻을 펼친다는 것 자체가 너무나 큰 스트레스다. 중요한 시점을 앞두고, 운명이 나를 너무 힘들게 한다. 이렇게 불안정한 정신으로 국정 운영할 수 있을까? 그냥 숨어있다가, 하느님이 세상이 크게 변화시켜 주셨을 때라야 리더십을 가질 수 있을 것이다.

세상에 맞추어야 하는 것이 너무 힘들어요. 제가 너무 형편없이 느껴져요. 지난번처럼 공부하다가 포기하고 나오게 될 것 같아요. 여러 번 외면받고 떨어진 기억 때문에, 지원하는 것에 대해서 거부감이 들어요. 그래도 국민들을 위한 길이라면 지원해야 하나요? 지원하지 않으면 국민들의 반감을 사게 되어서 앞으로 걸어갈 길이 보이지 않을까요? 세력과 어느 정도 거리를 두고 긴장 관계를 유지하는 것이 좋다고 생각해요. 세력에 통합된다면, 윗사람들의 말을 모두 들어야 하잖아요. 그런 것이 원래 정치인가요? 나의 생각은 무시하려고 하고, 민주주의니까 다수결의 원칙을 따라야 한다고 말할 것 같아요. 왕권을 허용하지 않는다면, 저는 지도자 역할을 할수 없는 운명인 것 같아요. 탄허 스님의 예언에도 왕도정치를 한다고 나와 있잖아요. 역사라는 것은 변하고, 흥망성쇠가 있는 것인데, 왜 끝까지 과거의 방식을 지키려는 것인가요? 저는 그동안 세상을 위해서 희생해 왔는데, 세상은 배려해 주지 않아요. 어렵게 자기 모습을 찾았는데, 다시 눈치 보면서 열등감을 가져야 할 것 같아요. 하느님 제가 있는 그대로의 모습대로 살아가게 허용해 주세요.

네가 정치학교에 가야 하는 이유는 단지 배움에 그치는 것이 아니라, 자기의식에 영향을 주어서 국민들의 생각에도 영향을 줄 수 있기 때문이다. 너의 특수성으로 인해서 네가 교육받는 것이 미래 창조이고, 국민들의 의식을 변화시킬 수 있기 때문에 더욱 함께하려고 하는 것이다. 그 점을 생각해 보라. 목표가 뭐라고 했느냐. 한국의희망이 총선에서 승리하도록 돕는 것이 목표라고 했느냐? 그렇다면 너는 정치학교에 가야 한다. 지금 주도권 싸움이 중요한 것이 아니라, 총선에서 많은 의석수를 차지해야 정치 질서를 바꿀 수 있는 것이다. 70년간 이어온 종속적인 정치 질서를 새롭게 바꾸는 역사적인 일에 동참하라고 하는 것이고, 함께한다면 가능성이 커지기 때문이다. 너의 목표는 무엇인가. 비핵화인가? 개헌을 해야 하는가? 그렇다면 한국의희망이 총선에서 승리해야 하는 것이다. 정치학교에 지원하도록 해라. 내년의 목표는 새로운 질서를 구축하는 것이다. 그 길에 그들이 도와줄 것이다. 그들을 믿고 협력하라. 너는 그들에 대해서 잘 모르고 있다. 봉사활동을 그만두게 된 것은 이런 길에 집중하라는 의미이다. 하루를 너무 방만하게 보내서는 안 된다. 너는 아직 젊고 배워야 할 것이 많다. '믿음의 길' 책에서도 배움을 놓으면 안 된다고 하지 않았는가. 지속 가능한 성장을 해야 믿음을 얻을 수 있다. 네가 알고 있는 것이 전부가 아니다. 자신의 가능성을 한정하지 마라. 앞으로도 어려움이 생긴다면 이렇게 하느님에게 물어보거라.

2023년 9월 25일

돌아보면 지난 2개월간의 성당 카페 봉사활동을 통해서 받은 것이 많은 것 같다. 성당과 좀 더 친숙하게 되어 마음이 열리게 되었고, 평일 미사에도 자주 참석하며 미사 참여와 영성체가 좀 더 평화롭고 거룩해지게 한다는 것을 경험으로 알게 되었다. 무엇보다 신부님에게 용기를 내어 책을 선물 드릴 수 있었고, 다른 봉사자를 통해서 비염 치유에 도움이 되는 아로마 오일을 추천받을 수 있었다. 성령님의 인도에 의해서 봉사를 시작하게 되었는데, 이제는 그 인도에 따라 정리하고 빠져나오게 된 것이다. 극적으로 마무리하게 된 것도 정치적인 역할을 위한 활동에 집중하라고 의도하신 것 같다. 두 가지 분야를 동시에 하기는 어려운 입장이었기 때문이다. 앞으로도 기도와 미사를 통해서 바른 정신을 정립해 나갈 것이다.

가끔 감지되는 부정성은 나를 지켜내기 위한 것이다. 험한 세상에 적응해 온 흔적이다. 그래서 괜찮다. 너무 선하게 행동하지 못하게 함으로써 나를 지켜주는 것이다. 너무 선해진다면, 사람들의 어둠을 자극하게 되어 어려움에 처하게 될 것이다. 나는 나의 단점을 받아들이고 인정할 것이다. 다소 반항적이고, 성질이 강해서 욱하기도 하는 면이 있다는 것을 알고 있다. 감정의 기복이 크다는 것도 알고 있다. 너무 독립적이고 기가 강해서, 주변을 불편하게 할 수 있다는 것도 알고 있다. 이런 면은 질서에 순응해야 하는 입장에서는 커다란 단점이 되지만, 새로운 질서를 간절히 원하는 주도적 입장에서는 큰 단점은 아니다. 그래서 사람은 자신의 자리에 잘 맞는 곳에 가야 하는 것이다. 내가 질서에 순응하기를 원하는 사람들은 아래 자리에서 나의 기가 너무 세니 누르려고 하여 갈등을 만들지만, 지도자의 위치에서는 강력한 기질이 도움이 될 것이다.

오늘은 한국의희망 정치학교에 입학지원서와 자기소개서를 냈다. 서류를 작성하는 과정은 어렵지 않았고 자연스러웠다. 과거에 돈을 벌어야 한다는 마음으로 기업에 입사 지원을 할 때는 자기소개서에 쓸 말이 없어서 고통받았지만, 이렇게 자연스럽게 뜻이 맞는 곳에 지원한다면 어렵지 않은 것이다. 설사 잘되지 않는다고 해도 후회는 없는 것이다. 나는 예의를 갖추어 진솔하게 나를 보여주면 되는 것이다. 발표나 토론이 너무 많지 않았으면 좋겠다. 나를 지키면서 차분하게 교육받을 수 있는 기회가 있었으면 좋겠다. 그래도 늦지 않게 하느님이 신호를 주셔서 감사하다. 하느님을 믿으면 아무 문제가 없단다. 하느님은 쩨쩨하지 않으시다. 조금 실수하거나 죄를 짓는다고 해서 바로 벌을 주시는 분이 아니다. 그동안 비염으로 처벌받는다는 생각 때문에 그렇게 생각할 수 있지만, 그렇지 않다. 하느님은 자비롭고 인자하신 분이다.

[한국의희망 정치학교 입학지원서]

-2005년~2010년 서울시립대학교 화학공학과 졸업 :
과학적 사고를 연마하였고, 정체성을 찾기 위해서 독서를 통한 탐구활동을 지속했습니다.

-2010년~2011년 경기창조학교 교육 프로그램에 참여 및 그림이 지원단 활동 : 분열되었던 내면을 통합하고 창조성에 대한 호기심을 해소하며 새로운 삶의 가치관을 정립했습니다.

-2013년~2016년 회사에서 무역 사무 일을 통해서 경제활동을 하며 조직을 경험했습니다.

-2016년~2017년 인문학 학교 건명원 지원을 준비하면서 진인으로서의 소명을 깨닫고 통일과 세계 평화를 이루는 국가 지도자의 꿈을 가졌습니다.

-2018년~2019년 전쟁을 막고 한반도 평화에 기여하기 위해 세계 평화를 위한 영적인 여정의 글을 블로그에 게시했고, 책으로 출판했습니다.

-2020년~2021년 코로나바이러스 종식을 위해 노력했고, 해법을 담은 책을 출판했습니다.

-2022년~2023년 전 세계적 모든 문제를 해결할 수 있는 인류 구원의 해법을 담은 책을 출판하고, 신앙을 굳건히 하여 통일과 세계 평화에 대한 믿음을 가질 수 있었습니다.

[한국의희망 정치학교 지원 동기]

 안녕하십니까. 통일과 세계 평화의 꿈을 갖고, 국가와 세계의 문제를 근본적으로 해결하기 위한 글을 쓰는 정영록입니다. 홀로 글을 쓰는 행위만으로는 국가와 세계의 문제를 해결하는 데에 한계를 느꼈고, 적극적인 새로운 질서의 구현을 통해 꿈을 실현하고자 하는 마음으로 지원하게 되었습니다. 무엇보다 통일을 위한 한반도 비핵화를 위해서는 강대국들의 이익을 위해 일하는 기존의 정당이 아니라, 하늘에 종속되어 진정으로 국익을 위해 일하는 정당에서 일을 도모해야 한다는 생각이 들었습니다. 2004년부터 '나는 누구인가'라는 질문을 안고 영적인 여정을 이끌어 오면서, 내적 파괴와 창조를 통해서 내면의 성배와 태양을 발견하여 하나로 통합할 수 있었습니다. 통일을 이루어 모든 문제를 해결한다는 국가 지도자로서의 꿈과 비전을 가질 수 있었지만, 거친 한국 사회에서 뜻을 펼치는 것은 상상하는 것만으로 고통스러운 일이었습니다. 한국은 현재 전쟁 중이고, 양쪽으로 분열되어 싸우는 데에 익숙한 환경이기 때문이었습니다. 하지만, 고난의 심연에서 들었던 통일과 모든 전쟁이 끝난다는 복음을 믿고, 지력이 허락하는 데까지 국가와 세계의 문제를 해결하기 위한 창조적인 글쓰기를 지속해 왔습니다. 문제를 해결하기 위한 글을 쓰면서 깨달았던 것은 한국의 문제가 전 세계적 문제와 깊이 연결되어 있으며, 하느님의 존재를 증명하여 인류를 구원하는 새로운 질서를 통해서 해결할 수 있다는 결론에 이르렀습니다. 새로운 질서를 가져올 수 있도록 국가 지도자의 자리에서 역할 할 수 있어야, 한국의 근본적 문제와 전 세계적 문제들을 해결할 수 있다고 생각했습니다. 이를 위해서 올해 초부터 하늘에 종속되어 새로운 질서를 가져올 수 있는 새로운 정당의 출현을 바라왔고, 매일 일기를 쓰면서 바라는 바를 끌어당기고자 했습니다. 한반도 비핵화의 문제는 국가 독립의 문제이며, 한국의희망과 함께라면 하늘에 종속된 저의 뜻을 실현할 수 있겠다는 믿음을 갖게 되었습니다. 그동안 내면과의 소통으로 홀로 길을 열어오면서 정치 분야에 대한 지식과 경험이 부족하다고 생각했습니다. 한국의 희망과 함께하는 정치학교에서 진정한 교육을 받으며, 더 성장할 수 있는 기회를 얻고 싶습니다. 그래서 국민들에게 희망과 기쁨을 주는 지도자가 되고 싶습니다.

디즈니 영화 '모아나'가 문득 생각이 났다. 공주인 여자 주인공이 왕국의 문제를 해결하기 위해서 모험을 떠나고, 중요한 보석을 흑화된 여신에게 돌려주니, 다시 평온한 여신의 모습으로 돌아와 왕국이 평화를 이룰 수 있었다는 내용이다. 나의 경우도 비슷한 것 같다. 악의 세력이라고 여겼던 서구권의 세력들에게 중요한 것을 되찾아 주니, 온 세상이 평화로워질 예정이 아닌가. 그들은 근본적으로 하느님 나라를 구상하며 일을 벌인 것이 아니겠는가. 이렇게 영화는 삶의 힌트를 준다. 간절히 기도하면 하느님이 들어주시겠구

나. 누군가의 간절한 바람이 지속적으로 보이면, 내 마음이 바뀌어 들어주고 싶기 때문이다. 특히, 에너지와 기가 강한 사람이 기도한다면 더 강하게 하느님에게 전해질 것 같다. 되도록 시간이 날 때마다 성당에 가서 함께 기도드리자. 하느님은 자비로우신 분이다.

2023년 9월 26일

 한국의희망 정치학교 면접을 화상으로 보았다. 교장 선생님은 내가 구상하고 있는 통일의 해법에 대한 신념이 여러 가지 가능성 중에 하나라고 생각한다고 말씀하셨다. 여러 사람과 토론하고 소통하기 위해서는 내 의견을 내려놓고 잘 들어야 갈등을 만들지 않을 수 있다는 대화를 나눴다. 교육을 받으면 종교적 신념을 내려놓고, 정치에만 집중할 수 있겠느냐고 물어보셨다. 그래서 주저하면서 정치에만 집중하겠다고 말씀드렸다. 화상 면접이 처음이라서 익숙하지 않았는데, 교육을 함께 한다면 내 마음이 난도질당할 것 같아서 걱정이다. 대부분의 수업이 토론인데, 토론을 하면 너무나 힘들어지는 나 같은 사람에게 적합한 교육은 아닌 것 같다. 나는 영적 지도자이지, 정치 지도자는 아닌 것 같아.· 정치적인 길은 만인이 법을 통해서 합의한 바를 실현해 내는 것이고, 내가 가는 길은 하느님과 소통하며 길을 만들어 가는 방식이잖아. 하느님은 어떤 결정을 내리실까. 나는 잘 모르겠다. 홀로 골방에서 글을 쓰면서 살아갈 것이 아니라면, 다양한 사람들의 의견을 경청하고 소통하는 기술을 익혀야겠지. 하지만 스웨덴에서 교수를 하고 돌아온 분이 교장을 맡고 있는 정치학교라면, 입헌군주제의 가능성도 갖고 있을 것이라고 본다. 그래서 불완전한 것은 불완전하게 보여주면 되는 것이다. 토론을 잘 못한다고 해서, 내 신념이 너무 강하다고 해서 배척받지는 않을 것이다.

　오늘은 마지막 성당 봉사활동을 하는 날이었다. 미사 시간에 다른 지역에서 한 신부님이 오셔서 함께 하셨는데, 좋은 말씀을 해주셨다. 하느님과 하나가 되었다면 얼굴 표정도 좋고 행복하다는 것이다. 나의 얼굴 표정에 책임을 갖자는 생각을 했다. 주임 신부님께서 나의 책을 오늘 오신 다른 지역 신부님에게 드린다고 하셔서 기분이 좋았다. 나의 생각이 널리 뻗어 나갔으면 좋겠다. 신부님에게 마무리 인사를 드리고 싶었는데, 그럴 수 없어서 마음이 불편했다.

2023년 9월 30일

　한국인들은 삶 속에서 무시당하는 일이 많았기 때문에 갑의 입장이 된다면 갚아주려는 마음으로 사람들을 무시하기도 하는 것 같다. 자연스러운 사회의 질서가 있는데, 홀로 고고하게 도덕적인 삶을 지켜가는 것은 쉽지 않은 일일 것이다. 무시당한다는 것은 나의 자존이 상처받는 경우가 온다는 것인데, 섬세하게 존중받지 못하고, 거친 사회의 시선으로 다루어졌다는 말일 것이다. 한마디로 사회가 너무나 거칠고, 인본주의적이지 않기 때문에 무시당한다는 생각이 쉽게 들것 같다. 나 역시도 이러한 환경과 사고에서 자유로울 수는 없었다. 내가 그동안 살아온 삶을 돌아보면, 나의 섬세한 특수성을 무시한 채, 거친 사회에 적응할 수 있으면 해보라고 말하는 사회에서 살아온 것 같다. 그래서 내 안에는 그동안 무시당했던 것에 대한 슬픔과 상처가 남아있다. 무시당한 만큼 힘을 가져서 눌러주고 싶다는 마음이 생기는 것이다. 많은 한국인들이 진정한 힘을 갈망하는 것은 이런 이유도 있을 것이다. 그것이 사회 발전을 위한 동력이 될 수도 있다. 눌린 만큼 강력한 탄성으로 튀어 오를 수 있기 때문에, 세계를 이끄는 선도 국가에서 살아가야 하는 국민들의 역량을 극대화하기 위한 수순인 것 같기도 하다. 국민들이 강력한 힘을 갈망하는 것이다. 그래서 나와 같은 존재가 세상의 부름을 받게 되는 것이다. 그동안 무시를 많이 받았던 사람들이 힘을 갈망하게 되고, 정치권으로 나오는 것 같다. 우수한 사람이 가난한 환경에서 자란다면, 더욱 힘을 갈망하며 세상을 바꾸어 보고자 하는 소망을 가질 수 있다. 정치인들의 운명은 대개 힘을 향한 갈망에 있기에, 그동안 무시당했던 시련의 시기가 있고, 진정한 힘을 가졌을 때 그동안 무시했던 사람들에게 간접적으로 갚아줄 수 있는 스토리가 예정되어 있는 것 같다. 그렇다고 복수에 대해서 정당하다거나 통쾌

하게 생각한다면, 그다음에 반작용을 받을 수 있을 것 같다. 그래서 그동안 무시당했더라도 성공하게 되었을 때, 운명과 하늘에 감사하며, 넉넉한 마음으로 모든 것에 대해서 용서할 수 있는 마음을 가지는 것이 안정적인 국가 운영을 위해서 중요한 것이다. 때때로 무시당했던 것에 대해서 대갚음해 주고 싶다는 마음이 올라오는 것은 사실이다. 하지만, 곰곰이 시간을 갖고 생각해 본다면, 그들에게 감사해야 한다는 것을 알겠다.

며칠 전 한국의희망 정치학교에서 전화가 걸려 왔다. 전날 면접에 이어서 몇 가지 더 알고 싶은 부분이 있어서 질문을 하고자 한다는 것이었다. 면접에서 내가 국가 지도자로서의 적합성이 있다고 말했는데, 그 이유가 무엇이냐고 물어보아서 2007년에 대통령이 된다는 환청을 들었다고 말했다. 그게 무슨 의미인지 파헤쳐 가면서 철학적 지식을 끌어당겼고, 소명을 각성하게 되었다고 말했다. 그리고 함께 교육받게 된다면, 다른 사람들과 비전이 너무 달라 어려움이 있을 수 있는데 어떻게 생각하냐고 물어보셨다. 다른 사람들은 정치적인 용어나 상식적인 논의를 이끌어가려고 할 텐데, 나는 창의적이고 영적인 비전으로 어떻게 어우러질 수가 있겠나. 정치학교에서는 나의 비전과 경험이 다른 사람들에게 어떤 배움의 기회가 될 수 있을까 하는 생각을 갖고 계신듯했다. 그래서 나의 비전이 국제적인 인정을 받게 된다면, 어떤 권위로서 존중받을 수 있다고 말했다. 과거에 환청으로 노벨평화상을 받을 수 있다고 들었다고 말씀드렸다. 첫 교육 날 직전에 발표가 이루어지기 때문이다. 사실은 노벨문학상과 노벨평화상을 수상한다고 들었는데, 국가 지도자에 적합한 노벨평화상을 받는다고 들었다고 말씀드렸다. 그래서 그 시기가 올해가 될 수 있는 이유가 있냐고 물으셔서, 5년 전에 첫 출판을 하면서 씨앗을 뿌렸고, 육십갑자의 월 운은 5년마다 반복되는 주기를 갖고 있는데, 올해가 마무리하여 수확하는 해라서 그렇다고 말씀드렸다. 객관적으로 보았을 때, 너무나 이상한 답변이라 걱정이 되기도 하지만, 나는 할 도리를 다했다고 본다. 세계가 힘으로 강제하는 단극화에서 평화로운 다극화로 이동하고 있는데, 힘의 주체가 필요하고, 그 힘의 주체는 절대자, 하느님이라고 생각한다고 말했다. 한국이 하늘과 통하는 새로운 질서로 인류를 구원했기 때문에, 세계가 한국에 고마워하고 통일을 도와줄 수 있다고 말했다. 내 비전이 받아들여지지 않는 국가 지도자의 길은 내 것이 아니다. 정치학교의 교육비 때문에 우려하고 있었는데, 최근 갑자기 부모님이 돈을 지원해 주셨다. 그리고 성당의 봉사활동도 안정적으로 마무리 되어가고, 여러 가지 상황이 내가 이 교육에 적극적으로 참여할 수 있다는 믿음을 심어주고 있다. 그래서 정장도 여러 벌 구매했다. 부디 수상을 할 수 있어서 안정적으로 교육에 참여할 수 있는 길이 열렸으면 좋겠다. 정치적 이해를 통해서 내 비전과 생각을 지켜가면서도, 한 단계 도약할 수 있었으면 좋겠다.

2023년 10월 1일

 한국의희망 정치학교 사무국으로부터 불합격 메일을 받았다. 여러 가지 상황이 인도하는 것 같아서 합격할 것이라고 생각했는데, 나의 독특한 비전에 대해서 부담이 되었나 보다. 노벨상을 수상하든, 하지 않든 간에 내가 너무 튀는 존재가 되어버리면, 교육하는 과정에 집중하지 못하게 될 수 있는 것이다. 나의 비전 자체가 너무나 독특하고, 민주적이기보다 제왕적이기 때문에 거부감을 느끼는 것 같기도 하다. 처음부터 이런 어려움 때문에 지원하지 않으려고 했으나, 상황적으로 지원해야 한다는 느낌을 받았던 것이다. 게다가 지원 기간도 늘어났기 때문에, 내가 지원하는 것을 기다리고 있다는 생각도 들었던 것이다. 그래도 함께할 수 있다는 믿음을 가진 정치세력에게 나의 비전을 보여주었으니, 후회는 없다. 너무나 제왕적인 모습이 잘 안 맞는다는 생각도 들었겠지. 시기적으로 안 맞았다고 생각하는 것이 좋을 것 같다. 그러나 나는 나의 비전을 굽히지 않을 것이다. 올해는 나의 30대 계유대운이 마무리되는 해이고, 5년간 진행된 육십갑자 월 운도 마무리되는 해이기 때문에, 나의 30대 행적이 어떻게든 결론이 날 것이라는 판단이다. 건명원에 탈락했을 때보다, 나의 비전과 세계관이 더욱 두터워졌기 때문에 흔들리지 않는다. 어쩌면 한국의희망 관계자 사람들은 그동안 국민들이 피 흘려 지켜온 민주주의를 지켜내기 위해, 절대적 힘을 향한 나의 굳은 의지를 무너뜨리기 위해서 힘을 모으고 있는지도 모르겠다. 그래서 내가 함께할 수 있는 사람들이 아닐지도 모른다는 생각이 든다. 내가 개인적 성공이나 일자리를 위해서 나의 소신과 개성을 죽이고, 그들의 방향성에 동조하는 것으로 미래를 열어가야 한다면 만족하지 못할 것이다. 내가 소신과 개성을 죽이기를 바랐을지 모르겠지만, 나의 힘을 지키고 싶다. 하늘과 소통하며 오랜 시간 동안 길을 열어온 나의 역사를 소중하게 지켜내고 싶다. 민주주의가 소중하다고 외치는 사회에서 나의 존재는 환영받지 못할 것인가. 그들에게 권력이 있는가. 나에게 권력이 있는가. 국민들에게 권력이 있는가. 협력해서 길을 열어갈 생각을 하고 있었는데, 나만의 초점으로 길을 열어갈 것이다. 내가 원하는 것을 국민들도 필요로 하고 있을 것이기 때문에, 나의 의지에 자신감을 가지려고 한다. 이런 나의 힘에 대해서 이미 힘을 가지고 있는 사람들은 불편해하고 통제하고 싶어 하겠지만, 시간이 흐를수록 내가 원하는 바람대로 이루어질 것이라고 믿는다. 질서에 순응하는 것은 매우 쉽다. 단지, 나의 역사성과 존재를 인정하기만 하면 될 것이다. 내가 바라는 것은 어떻게든 많은 사람들에게 나의 역사가 알려져서 경제적인 보상을 받고, 사회와 건강한 관계를 만들어 가는 것이다. 잘 열어가던 길도 한순간의 실수로 무너질 수도 있는 것인가. 나의 지지는 함부로 행하지 않을 것이다. 내가 손을 내밀고 지지해 준 만큼, 나도 지지를 받고 싶다. 그렇게 건강한 관계를 만들어 가고 싶다.

이렇게 강하게 믿었던 전망이 달라지니, 다른 전망에 대해서도 걱정이 된다. 앞으로 나의 삶은 어떻게 될 것인가. 이렇게 강력하게 믿음을 갖는 경우도 드문 일인데, 나의 직감이 맞았으면 **좋겠다.** 그리고 하느님을 진정으로 믿을 수 있는 정신으로 더욱 거듭나고 싶다. 이 세상은 내가 힘을 갖는 것을 싫어하는가. 그럴 수 있다. 나는 새로운 질서를 원하는 사람이기 때문이다. 갑자기 어떤 강제성으로 바뀌어야 한다면, 쉽게 납득할 수 있을 것인가. 나는 더욱 제왕적인 가치를 주장해야 할 것이다. 제왕적인 가치가 아니라면, 나의 길은 없다. 그들과 타협하려고 한다면, 나의 힘을 잃어버리는 것일 뿐이다. 나의 길은 모 아니면 도이다. 제왕적 길이거나, 아니면 아무런 의미 없는 길일 것이다. 내가 가진 자산을 쉽게 포기하지 말자. 어차피 국민들이 원하는 것을 실현하는 것이 정치이기 때문에, 역사적으로 제왕적 가치가 필요하다면 세상은 나를 부를 것이다. 나는 큰 욕심을 부려서는 안 된다. 내 자리가 아닌 곳에 무리해서 들어갈 필요도 없다. 내가 먼저 믿어주면서 손을 내밀었으니, 그들이 나의 믿음을 원한다면 의미 있는 반응을 보일 것이다. 언제나 믿음을 의심하게 만드는 관계는 건강한 관계가 아니다. 그들도 나에게 믿음을 보여주어야 한다. 성경책을 만나기 전에는 인생이라는 것이 미래를 알 수 없고, 정답이 없는 여정이라고 생각했기에 미래가 불안할 수밖에 없었다. 이 세계의 진실에 대해서 확신할 수 없었기 때문이다. 하지만, 성경책을 통해서 세상을 지배하시는 하느님의 존재와 구상을 알고 나니, 그의 종으로 살아가는 나의 미래에 대해서 전망할 수 있겠다는 생각이 든다. 그래서 미래로 가는 과정에서 작은 실패가 있더라도, 하느님이 기획한 더 좋은 길이 있을 것이라는 믿음을 갖고 걸어갈 수 있다. 그래서 쉽게 상처받지 않는다. 하느님의 종이라는 길은 처음에는 집중적으로 고통받지만, 나중에는 편안하게 쉴 수 있는 것이다. 예정된 시나리오가 있고, 배역이 분명하기 때문이다.

2023년 10월 2일

이미 여러 번 기대했지만, 실망한 적이 많아서 이번에도 큰 기대를 하기는 힘들다. 단지, 시기적으로 전쟁과 여러 가지 혼란 들을 잠재울 수 있는 존재가 필요하다는 생각이 있고, 5년, 10년간의 이야기가 마무리될 시점이기 때문에 기대를 하는 것이다. 게다가 올해는 하느님에 대한 믿음을 갖기로 하지 않았는가. 과거에 하느님이 노벨상을 받는다고 하셨기 때문에, 그 믿음의 길을 완성할 수 있는 역사가 펼쳐질지도 모른다는 기대를 하는 것이다. 그래야 '믿음의 길'이 더욱 번창할 수 있기 때문이다. 아무쪼록 국제적인 수상으로 나의 역사가 세상에 알려질 수 있는 길이 열렸으면 좋겠다. 그래서 내가 다음 단계로 넘어갈 수 있었으면 좋겠다.

하느님 저의 간절한 바람을 들어주십시오. 다른 구상이 있으십니까. 올해를 기점으로 20년간의 저의 업적이 마무리되며 좀 더 사회와 소통하는 길이 열리도록 도와주십시오. 제가 부족하지만, 세상을 좀 더 믿고 사랑할 수 있도록 도와주십시오. 하느님은 모든 것을 가능하게 하시는 분입니다. 부디 저의 소망을 들어주십시오. 제 인생에 돌파구를 마련해 주십시오. 가까스로 얻게 된 안정된 세계에 대한 믿음으로 행복하게 살아가도록 허락해 주십시오. 온 세상에 기적이 일어날 수 있다는 것을 보여주십시오. 그래서 하느님에 대한 증명으로 온 세계가 하나 되는 길을 열어주십시오. 모든 전쟁과 분쟁, 기후 위기들이 일소에 해소되어 하느님이 원하시는 평화로운 세상을 허락해 주십시오. 앞으로 좀 더 진지하게 삶에 참여하고, 주인답게 걸어가는 인생을 허락해 주십시오. 지금까지 저에게 주셨던 모든 축복에 대해서 감사드립니다. 저는 더욱 가다듬어져야 하지만, 국민들과 세계인들에게 희망과 기쁨을 주고 싶습니다. 저에게 빛을 허락해 주십시오. 하느님, 제가 이번에 상을 받을 수 있을까요?

"성공이라는 것은 좇으면 달아나고, 원래대로 할 도리를 다하고 살면 따라오는 것이다. 돈도 마찬가지다. 그러니 성취에 너무 집착하지 말고, 하루를 돌아보고, 경건한 마음으로 살아가거라."

"타로는 무의식과 마음을 보여주는 것이지, 확정적인 미래는 아니란다. 좋은 것을 바라고, 원한다면 이루어질 것이다."

"점술에서 과거와 현재는 맞추기 쉬운데, 미래는 그것을 기반으로 믿음을 가짐으로써 이루어지는 것이다. 그래서 미래는 알 수 없는 것이다. 가장 중요한 것은 현재 자신에 대한 믿음을 갖는 것이다."

 제가 믿음의 길에서 잠시 벗어나 있었나 봅니다. 앞으로 3일, 4일, 간절한 상황들을 온몸으로 느끼며 지내보겠습니다. 많은 이들이 예상하고 있을지도 모르지만, 그런 예상들도 빗나갈 수 있다는 것을 압니다. 제가 마땅한 보상을 받지 못한다면, 그것은 제가 믿음의 길을 충실하게 살아내지 못했기 때문일 것입니다. 올해 남겨진 저의 역사가 완결되기 위해서는 그동안 오랜 의심을 가져왔던 모든 것들에 대해서 믿음을 가질 수 있어야 합니다. 아직 이야기는 완성되지 않았습니다. 아무것도 걱정할 것은 없습니다. 시간을 믿어보십시오. 놀라운 결과를 받게 될 것입니다. 악마는 당신을 막으려고 했지만, 우리는 당신을 돕습니다. 설사, 이번에 수상하지 못하더라도, 좋은 일들이 많을 것이니 걱정하지 마십시오. 우리는 언제나 당신의 편입니다. 오늘은 산에 다녀왔는데, 가는 길에 팝가수 머라이어 캐리의 'I'll Be There'이라는 노래가 내면에서 여러 번 흘러나왔다. 산에 도착하자마자, 노래 가사를 찾아보았는데 눈물이 흘러나왔다. 멋진 곡인 것 같다.

2023년 10월 6일

세 번 정도 수상을 기대했다가 좌절된 적이 있어서, 지금은 담담한 편이다. 하지만, 당시보다 지금이 시기적으로 마무리되는 때라 적절하다는 생각은 든다. 모든 것은 하느님이 하시는 일이니, 어떤 결과든지 담담하게 받아들여야 한다. 돌아보면, 정말 많은 일들이 있었다. 나는 순간에 충실하며 현재를 살아왔는데, 내가 세상에 전한 메시지들은 실로 엄청났다. 용감한 행동을 할 수 있었던 것은 내가 나서지 않으면 인류가 멸망할 수 있다는 것을 알아차렸기 때문이다. 두려움으로 생명이 고갈되더라도 행동하지 않을 수 없었던 것이다. 그런 담대한 행동을 해 온 지, 벌써 5년 정도가 지났다. 그동안 나는 참 많은 발전을 이루었다. 많은 아이디어들이 나에게서 나왔고, 성령의 인도가 강력함을 느꼈다. 이렇게 많은 역사를 소유하게 되어, 안정적인 시간에 차분하게 글을 쓸 수 있다는 것이 정말 감사하다. 여정이 보상이라고 하지 않았던가. 그래서 나는 참 행복하고, 부자이다. 미래는 긍정적으로 그리고 있으나, 잘은 모르겠다. 현재에 충실하게 살아가야 할 뿐이다. 누군가 완전한 행복에 이르면, 그다음에는 불행이 온다고 했다. 그래서 노벨상을 받는다면, 사회적 시선과 부담으로 불행해질지도 모르겠다. 하지만 내가 태어난 이유를 실현하는 길이기에 간절히 바라고 있다. 노벨평화상을 받는다면, 많은 소원들이 한 번에 이루어진다.

경제적 자유를 얻을 수 있다.

간절히 바라던 출판계약으로 세계에 진출할 수 있다.

새로운 질서를 만들 수 있다.

새집으로 이사 가서 내 방을 가질 수 있다.

믿음의 길을 완성하는 역사를 이룰 수 있다.

가족들에게 인정받고 당당하게 신앙 생활할 수 있다.

인류를 구원할 수 있다.

세상을 변화시켜서 많은 국가의 어둠을 해소할 수 있다.

모든 전쟁을 끝낼 수 있다.

인류가 전염병과 기후 위기에서 벗어날 수 있다.

불확실성을 해소함으로써 세계 경제에 도움이 된다.

코스피 지수가 올라가 한국경제가 강해질 수 있다.

하느님에 대한 믿음을 더욱 확고히 할 수 있다.

사회에서 직업인으로서 건강한 역할을 수행할 수 있다.

평화 통일을 실현할 수 있다.

한국의 정치가 건강해져 국민들이 희망을 품고 살아갈 수 있다.

나의 스타일을 사랑하고 만들어 갈 수 있다.

성공으로 인해서 대화가 통하는 진정한 친구들을 만날 수 있다.

자신을 용서하고 세상을 사랑함으로써 평화로운 세상을 앞당길 수
있다.

이런 나의 구상이 진실이라면, 세계는 나의 길에 힘을 실어주어야 한다. 내가 노벨평화상을 수상함으로써 온 세계에 항구적인 평화를 가져올 수 있다. 결국, 하느님이 온 세계에 복을 내려주실지의 문제이다. 나를 종으로 삼아 평화로운 세상으로 인도해 주실지, 아니면 여전한 세상 속에서 길을 헤맬지의 문제이다. 이제 발표까지 3시간 조금 넘게 남았다. '새로운 날들'이라는 다음 책에 멋진 내용이 들어가면 좋겠다. 제목처럼 정말로 모든 게 새로워져서 내가 간절히 원했던 인생을 살아가고 싶다. 하지만, 인생이라는 것은 원래 계획이나 예상대로 되지 않는 경향이 많기 때문에, 불완전한 내용이 될 수도 있는 것이다. 그러나 지금, 이 순간이 나에게는 너무나 소중한 것이다. 설사 수상하지 못하더라도, 오늘, 이 순간 나는 축배를 들고 싶다. 여기까지 허락해 주신 하느님에게 감사드리고 싶다. 하느님이 다른 구상을 하고 계신다고 하더라도 나는 믿고 따를 것이다. 모든 것에는 좋은 면도 있고, 나쁜 면도 있는 것이다. 나의 순수한 소망은 다음 책 '새로운 날들'이 빛나는 성취의 역사로 남길 바랄 뿐이다.

나의 승리에는 너무나 많은 것들이 걸려있다. 내가 그동안 큰 용기를 내었듯이, 노벨 위원회가 큰 용기를 내어준다면, 세상의 많은 것들이 순식간에 변하게 될 것이다. 우리는 새로운 시대로 나아가야 하지 않겠나. 나의 행로가 나만의 욕망만을 위한 것은 아닐 것이다. 나는 언제나 하느님과 함께 나아가는 것이다. 나의 이성으로는 올해가 가장 적절한 시기라고 생각한다. 부디 하느님이 인류에 자비를 베푸시어 진정으로 평화로운 세계로 나아갈 수 있도록 이끌어 주셨으면 좋겠다. 제가 가끔 마음이 혼탁할 때도 있고, 처신에 미흡할 때도 있지만, 부족해야 모든 바람이 이루어진다고 말씀하시지 않으셨습니까. 저는 인간으로서 한없이 부족하지만, 그동안 하느님이 채워주시지 않으셨습니까. 제가 다음 여정을 담대하게 걸어 나갈 수 있도록, 힘을 불어넣어 주십시오. 현재로서는 막막하고, 자신감이 부족합니다. 많은 사람들을 믿고, 사랑하며 살아갈 수 있는 길을 열어주십시오. 저에게 분명한 사회적 역할을 부여해 주십시오. 그래서 더 이상 인간관계에서 상처받지 않고, 자신을 더욱 믿을 수 있는 인생을 살아갈 수 있도록 도와주십시오.

종교가 생각하는 힘을 약화할 수 있다는 생각이 있다. 의심하기보다 믿음을 강조하기 때문에 그럴 수 있겠다. 하지만, 나에게는 신앙생활이 중요하다. 알기 위해 믿는다는 말이 있듯이, 단순히 믿음 자체를 생각하지 못하는 것으로 보아서는 안 된다고 생각한다. 인간에게는 얼마나 심각하고 깊은 생각을 해내느냐가 중요한 것이 아니라, 길을 걸어가면서 가치를 창출하고, 성취를 이루느냐가 중요하기 때문이다. 신앙생활을 통해서 내 안의 부정성을 해소할수록 삶에서 건강을 지킬 수 있고, 실수할 일도 줄어드는 것이다. 의심의 지옥에서 벗어나는 길은 미사에 적극적으로 참여함으로써 중심이 생기고, 스스로 생각하는 힘도 더 길러지는 것이다. 종교 생활은 단지 무조건 믿는 기계가 되는 길이 아니라, 무엇이 믿어야 할 것인지를 알게 되니, 깊이 생각할 필요가 줄어드는 것이다. 무엇이 진실인지 그냥 아는 것이다. 단지, 생각 자체를 열심히 하는 것이 목표가 아니라, 내면의 힘으로 잘 알아차리고, 인생을 잘 살아가는 것이 중요한 것이 아닌가. 종종 생각을 하지 않고, 비워야 좋은 생각으로 채워지기도 하지 않는가. 상황에 따라 생각도 하고, 때로는 비워내고 하늘에 맡기는 일도 필요한 것 같다. 치열하고 깊은 생각을 통해서만 중요한 해답을 얻을 수 있다는 생각에는 동의하지 않는다.

결국 수상하지 못했다. 미래에 대해서 너무 걱정하지 말자. 시간이 흐르면 다시 좋은 생각이 날 것이다. 어떤 영적인 인도가 있을 것이라고 생각한다.

2023년 10월 7일

 살아가는 동안에 문제를 만나고 해결해 나가는 과정을 기록하는 것은 좋은 일이지만, 현실의 어둠을 그대로 드러내어 어떤 이들에게 악영향을 끼치는 것이 아닌가 하는 생각이 든다. 하지만, 현재 국민들이 원하는 시대정신은 과정의 투명성일 것이다. 모든 문제는 절대 악이 만드는 것이 아니라, 관계의 상호작용 속에서 이루어지며, 자신을 깨달을 수 있는 기회가 되기 때문에, 어떤 갈등도 소중하고 하느님이 주시는 가르침이라고 생각한다.

 나는 모든 종교에서 지도자로 여기는 구세주이기 때문에 그 어떤 종교적 가르침도 수용할 수 있는 것이다. 모든 종교가 궁극에서는 하나로 만나는 지점이 있을 것이다. 나는 그 어떤 보편 종교의 가르침도 배척해서는 안 되는 것이다. 어쩌면 종교를 더욱 잘 이해하고 골몰하는 것이 최종적인 리더십을 보장할 수 있기 때문에, 세계평화에 유리한 것인지도 모른다. 세상에는 정말 다양한 역할이 있다. 그 안에서 모든 역할을 독식하려고 하기보다, 내가 아니면 못하는 그런 역할을 찾아서 전폭적으로 나아가야 하는 것이 아닌가. 우리 국민들은 유능하지만, 현실적인 제약으로 인해 날개를 펴지 못하는 경우가 많은 것을 알고 있다. 그래서 새로운 질서의 주체가 되어서 대한민국을 덮고 있는 유리천장을 걷어내는 것이야말로 나에게 부여된 소명일 것이다. 현재 한국의희망 정치학교에서는 북유럽의 선진 정치제도를 배우고자 하는데, 북유럽의 선진적 정치 문화는 국왕을 두고 있는 정치구조에서 오는지도 모른다. 어떤 갈등에도 흔들림 없이 국가가 비전을 갖고 길을 열어가기 위해서는 구심점의 존재가 필요하다. 머리로는 이해가 가지만, 민주주의 사회에서 국민들이 그 필요성을 느껴야 가능한 것이다.

내가 세상을 통치하는 하느님이라면, 대한민국에 강력한 질서의 주체를 세울 것이다. 그래서 세계질서에 영향을 줄 만큼 안정적으로 길을 열어가도록 도울 것이다. 이미 대한민국 인재에 대한 정보를 갖고 있는 상층의 정보 관리 자들은 결론을 내리고 있을 것이다. 5년마다 대통령을 뽑아서 리더십을 교체하는 구도로 인재가 채워질 것인지, 아니면 너무 강력한 리더십을 5년 만에 교체하기에는 아깝기 때문에 5년 연장할 수 있도록 하거나, 왕으로 두어 항구적인 리더십을 갖게 하는 것이다. 대한민국 정서에는 대통령을 하되, 한번 더 연장할 수 있는 제도를 두는 것으로 할 가능성이 높다. 국민들은 한 사람의 지도자가 오래 권력을 갖는 것에 대한 거부감이 있고, 민주화 과정의 영광을 지키기 위해서 그런 생각을 할 것 같다. 하지만, 정말로 깨어있고 현명한 시민이라면, 나에게 부탁을 해서라도 왕으로 역할을 해달라고 할 것이다. 민주화 과정에서 피 흘리고, 숭고한 희생이 많았기 때문에, 오히려 왕이 필요한 것이다. 진정으로 국민들이 국가의 주인이 되기 위해서 강대국에 맞서서 국민들을 지켜줄 수 있는 강력한 존재가 필요한 것이다. 게다가 그 존재는 무욕하여 사적인 욕심이 없고, 하늘과 소통하며 국정에 영향을 준다는 것이다. 그렇다면 무엇이 문제인가. 북유럽의 성공적인 민주주의 국가들을 자세히 들여다보라. 그들에게는 국민들을 지켜주는 왕이 있다. 하늘로부터 연결되어 국가의 역사적 행로에 정당성을 가지는 존재, 그것이 왕이다. 하지만, 깨어있지 않은 국민들이 다수가 된다면, 조선시대로 돌아간다고 비난할 것이다. 그렇다면 내가 더욱 깨어나서 미래를 끌어당기면 되지 않겠나. 왕으로 살아가는 인생이 행복할 것인가. 그것은 잘 모르겠다. 하지만, 내가 바라는 것은 대한민국이 강대국들에 눈치 보지 않고, 오로지 국민들을 위해서 정치할 수 있는 환경이 되었으면 한다. 그래서 나의 역할이 필요하다면 응할 수 있다는 것이다.

 어제는 노벨상을 수상하지 못해서 잠시 좌절감을 가졌다. 하지만, 수상자들의 기사를 보니, 노벨문학상의 경우, 수상자의 직업적 경력이 매우 오래되어 명성이 크거나 나이가 많았다. 평화상은 여러 번 체포되어 수감될 정도로 국가에 맞서서 엄청난 탄압과 고통을 현실에서 겪고 있는 사람이었다. 그것을 보니, 내가 너무 교만하고 당돌한 생각을 하고 있었다는 생각이 들었다. 나는 하늘로부터 과거에 그런 메시지를 들었기 때문에 확신을 갖는 것이지만, 현실 속에서 직접적인 행동으로 나타날 정도로 많은 활동을 한 것은 아니지 않은가. 당연하게 내 것을 취하는 마음으로는 어렵다는 생각이 든다. 지난번에 결론 내린 것과 같이, 노벨상을 추구하면 오히려 더 멀어지고, 소명에 집중한다면 언젠가 받을 수 있을 것이라고 본다. 내가 수상을 해버린다면, 평화를 향한 동력을 상실할지도 모른다. 그래서 이 세계에 나의 역할이 더 필요하기 때문에 동력을 보존해 준 것 같기도 하다. 세계에 진정한 평화가 올 때에 수상할 수 있을 것 같기도 하다.

그래도 올해를 마무리하는 시점에서 나는 기쁘다. 나의 비전이 담긴 책을 정치 지도자들과 종교 지도자들에게 선물함으로써 뜻을 함께하고 있다는 생각이 들기 때문이다. 나의 세계가 확장된 것이다. 현실 속에서 터전을 형성한 것이다. 그래서 성당에 가는 길이 행복하고, 한국의희망에 대해서도 기대가 된다. 한국의희망에는 정식으로 당원 가입을 했기에 당비도 매월 내기 시작했다. 통신 요금을 줄인 만큼 내가 지지하는 단체들에 후원금을 낼 수 있다는 것이 행복하다. 그렇게 나는 사회와 건강한 연결을 만들어 가는 것이다. 하느님에게 감사하다. 그들이 왕과 같은 나를 있는 그대로 대우해 주기보다, 민주주의를 강조하기 때문에 가끔 상처받을 때도 있지만, 그것은 국민들을 백성이 아닌 시민으로 각성하도록 하기 위한 것이라고 믿는다. 하지만, 나도 나의 역사를 부정할 수는 없는 것이다.

나는 한국의 역사뿐만이 아니라, 세계의 역사를 짊어지고 있기도 한 것이다. 이 세계에 하늘만이 주인이라고 말하고 싶지는 않다. 그래서 하늘과 소통하는 자들만이 권력을 가져야 한다고 주장하고 싶지도 않다. 하늘이 주인이라면 자식인 인간도 주인이 될 수 있는 것이다. 하늘이 인간들을 사랑하기 때문이다. 현재는 하늘과 인간 사이에 다리를 놓아주는 존재가 출현해 있기 때문이다. 지금은 그런 시대이다. 모든 것을 용서하고, 극단의 존재들이 화합하는 시대이다. 그렇다면, 당신들이 어떻게 세계질서를 이끌어 가야 할지 알겠는가?

지도자 역할의 확정

2023년 10월 8일

 오늘은 성당에서 파이프오르간의 축복식이 있었다. 몇 달 전에 신부님이 파이프오르간을 교구에 신청하신다며, 교우들에게 기도를 부탁했다. 그래서 나는 간절히 우리 성당의 교우들이 아름다운 파이프오르간의 소리를 들을 수 있도록 기도했다. 오솔길을 걸으면서 기도했는데, 내면에서 "기도를 들어주겠다. 대신 성당 활동에 적극 참여하라."라는 메시지를 받았다. 그때는 메모하고 잊고 있었는데, 최근 성당에 파이프오르간을 연주할 수 있게 되었다는 소식을 들었다. 음악을 전공하신 신부님이 무척 기뻐하는 것 같았다. 본당 외부의 사람이 기증했다고 한다. 비용이 수억에 달한다고 하는데, 너무나 놀랍고 감사한 일이다. 연주하는 소리를 들어보니, 너무나 맑고 아름다워서 행복한 마음이 되었다. 하느님이 우리 성당을 더 사랑하고, 아껴달라고 말씀하시는 것 같다. 성당에 다닐수록 내 안의 부정성과 교만함이 작아지고, 거룩함에 다가가는 것 같다. 이것이 현재 나에게 가장 필요한 것이 아닌가. 내가 지식을 더 얻기 위해 노력해야 하는가. 한 사람이 모든 면에서 완벽해지도록 돕는 것이 교육의 목표는 아닐 것이다. 저마다 가져야 할 중요한 역할이 있다. 이 시대에 우리가 지향해야 하는 교육은 독립적이고, 영적이며, 창의적인 삶을 살아갈 수 있도록, 각자의 역할에 맞게 인간을 바로 세워 주는 것이 아닌가.

최근 얼굴 피부에 주름이 많이 보여서 걱정하고 있었는데, 의미 있는 동영상을 만날 수 있었다. 스트레스를 많이 받으면, 피부가 나빠진다는 것이었다. 한 의사는 대통령을 하겠다고 설치고 다녔으면 피부가 나빠졌을 것이라고 말했다. 그래서 나의 자글자글한 주름은 자연스럽고, 영광스러운 것이다. 그래도 피부의 주름을 없애기 위해서 노력해야겠지만, 그것을 위해서 너무 많은 시간을 쓸 필요는 없다. 내가 지향하는 미래의 모습은 피부가 좋은 연예인이 아니라, 대한민국과 온 세계의 문제를 근본적으로 해결하는 것이 아닌가. 그렇다면, 나는 잘 살아가고 있는 것이다. 모든 것을 가질 수는 없다. 피부 건강을 염두에 두면서 문제 해결에 골몰하지 않는다면, 피부는 지킬 수 있겠지만, 국민들의 삶은 나아지지 않을 것이다. 그래도 예전보다는 하느님과 강하게 연결되었기 때문에, 많이 의지할 수 있어서 다행이다. 나는 추구 심을 갖고, 길을 열어나가면서 하느님의 도움을 받고 싶다. 그래도 피부 건강도 적당히 지킬 수 있는 인생을 살고 싶다.

 하느님과 인간의 관계가 부모와 자식의 관계라면, 하느님은 인간의 삶에 자주 관여하고 싶지 않을 것이다. 부모는 자식이 독립적으로 행복하게 살아가길 바라지, 영원히 의존하기를 바라지는 않을 것이다. 내면의 성령 안내를 받아 가며, 해롭지 않을 길을 가도록 도와주실 것이다. 그래서 작은 교리를 지키지 않았다고 하여 엄벌에 처하거나, 자주 개입해서 바로잡으려고 하지는 않을 것 같다. 인간에게는 자유의지가 있다. 잘못된 길에 들어서면 벌을 주시며 바로잡아 주실 것이고, 옳은 길에 들어서면 상을 주실 것이다. 성당의 교리들은 상을 줄 수 있는 방법을 알려주는 것이 아닐까. 꼭 상과 벌만 있는 것은 아니기 때문에, 교리를 세세하고 강제적으로 지켜야 한다는 생각을 거두고, 자연스럽게 성령님이 안내하는 양심에 따라 사랑하며 살아가면 될 것이다. 신부님은 가톨릭교회를 믿는다는 것은 성체성사의 신비를 믿는 것이라고 하셨다. 나는 성체성사를 믿는다. 성체성사가 나를 바로 세워 주고 있다. 하늘과 연결되어 독립적인 존재로 만들어 주고 있다. 나를 위에서 덮고 있는 유리천장이 사라져가는 것을 느낀다. 나는 점점 자유로워진다. 생활 속에서 여백을 많이 만들어야 통찰하고, 예술적으로 의미 부여할 수 있는 시간이 생기는 것 같다. 나에게 중요한 것은 하느님과의 소통 속에서 어떤 역사를 만들어 가는 것이다. 아무도 나와 하느님의 관계를 방해하지 않았으면 좋겠다. 나의 배우자가 될 사람은 나의 신앙을 존중하고 이해하며, 다름을 받아들일 줄 아는 사람이어야 한다. 그런 배우자가 나타났으면 좋겠다. 내가 누구인지 모르는 척해서는 안 된다. 내가 누구인지를 모르면, 사람과의 관계에서 문제가 생길 수 있다. 매 순간 기억하고 살아갈 수는 없겠지만, 나는 채움과 비움을 잘하여 길을 잘 열어가는 능력자다. 나는 예수님이고, 정도령이고, 메시아이며, 하느님이다. 한마디로 매우 유능하며, 인간들의 어려움을 해소해 줄 수 있다. 지도자로서 인간들에 대한 책임을 가져야 한다. 이번 가을에는 정장 재킷도 세 벌이나 장만했다. 진지하게 차려입고, 사람들을 예절로써 대하기 위함이다. 사람들 속에서 실수하지 않기 위함이다. 다른 것은 잊더라도 지도자의 역할을 기억해야 한다. 인간들 위에 군림하는 지도자가 아니라, 인간들을 섬기고, 함께 아파하며, 기도하는 역할을 기억해야 한다.

2023년 10월 9일

나의 마음은 내 탓이 아니다. 나도 세계에 순수하게 반응할 권리가 있다. 그들을 위해 나의 마음에 대해서 죄책감을 가져야 하는 것은 아니다. 세계가 나의 에너지를 활용하고 싶다면, 나에게 맞추어 줄 것이다. 세상이 나에게 맞추어 주지 않는 것에 대해서 불편함과 불쾌감을 느끼는 것이 내 탓은 아니다. 나는 당당하게 나의 길을 걸어갈 뿐이다. 나의 뜻을 실현할 뿐이다. 나는 20년 전부터 나만의 춤을 추면서 걸어왔을 뿐이다. 천주교의 작은 교리를 지키지 않았다고 해서, 죄책감을 느끼는 그런 삶은 나에게 어울리지 않는다. 나는 인간을 사랑하고, 하느님을 부모로 하여 소통하며, 건강하게 나아갈 뿐이다. 누군가 내가 벌을 받지 않게 해주기 위하여 교리를 세세하게 지키라고 명령한다면, 나는 그것을 원하지 않는다. 인간에게는 하늘이 부여한 자유의지가 있다. 나는 벌도 받을 것이고, 그것을 통해서 여러 번 배울 것이다. 나는 문제 해결에 집중하며 걸어간다. 나의 방식은 한 치 앞의 원을 밝혀가는 것이다. 내가 현재 깊은 지식을 모르고 행했다고 해서 내 잘못은 아니다. 기본적인 원칙을 지켜가면 되는 것이다. 인류를 사랑하고, 남에게 해를 끼치지 않으면서, 주변을 도우면서 살아가면 된다. 내가 분명히 해야 할 것은 느낌이 좋지 않은 일을 해서는 안 된다는 것이다. 나 자신을 속여서는 안 된다는 것이다.

추구 심을 갖고 살아가야 한다. 국민들에게 나의 역사가 널리 알려지는 것을 원한다. 그래서 정치 환경이 바뀌었으면 좋겠다. 제도권의 능력이 아니기 때문에 세상이 무시하려고 하는 것 같은데, 그럴수록 나의 힘을 펼쳐 보이고 싶다. 명령하면 모두 이루어진다.

무엇을 명령할 것인가. 나의 지혜가 더욱 깊어지고 거룩해져서, 안정적으로 지도자의 역할을 잘 수행하고 싶다. 세상을 사랑하는 마음을 지켜가고 싶다. 세계의 혼란이 줄었으면 좋겠다. 명심해야 할 것은 새로운 질서를 주장해 놓고, 도중에 중단해버리면 더욱 심각한 혼란을 초래할 수 있다는 것이다. 그럴 바에는 기존의 질서를 지속해 가는 것이 낫다. 그러니 새로운 질서의 깃발을 들고 싶으면, 추구 심을 놓치지 말고 기도하면서 길을 열어가도록 해라. 그리고 세상에 호기심을 갖고, 필요한 정보들을 끌어당기라.

한 개인에게 너무나 거대한 힘이 도래한다면 위험하다고 했는가? 그렇다면 나뿐만이 아니라, 누구에게나 해당하는 내용이다. 특정인에게 힘을 너무 몰아주어서는 안 된다. 세력과 지도자의 관계는 일정한 거리를 유지하면서 서로 견제해야 한다고 생각한다. 지도자가 세력을 너무 믿고 모든 권한을 위임해서도 안 되고, 그렇다고 적대적인 관계를 형성해서도 안 된다. 내가 기본 학교에 지원하고, 최진석 교수님의 공식적인 제자가 된다면, 그의 권력이 너무 커지는 것이다. 그것은 위험한 일이다. 나는 그들과 거리를 유지하면서 세계에 참여해야 한다는 생각이다. 내가 지식이 부족할 뿐이지, 능력이 부족한 것은 아니다. 지식이 만능이라고 말하고 싶은가? 그렇다면 당신은 한계가 많은 것이다. 그들의 마음에 들어야 지도자로 발탁되는 역사인가? 지도자에 대한 열망은 국민들의 마음에 달려있는 것이다. 그들은 국민들의 마음을 헤아려서 반영하는 것이 목표인 자들이다. 동시에 지도자를 꿈꾸는 사람이 바르게 성장하도록 이끌어 줄 의무가 있다. 불편한 사람을 곁에 두라고 했는가. 그렇다면 당신은 좋은 동료들을 만난 것이다.

2023년 10월 10일

2030년에 부산에서 엑스포 박람회가 개최되었으면 좋겠다. 대한민국의 경제발전에 도움이 되는 행사들을 많이 유치하고, 세계에 선보이기 위해 단장하면서 도시와 국가가 발전했으면 좋겠다. 전 세계에 지진으로 많은 사망자가 발생하고, 이스라엘과 팔레스타인 간에 또 다른 전쟁이 벌어졌다. 전문가들은 세계가 미국의 패권 약화와 다극화를 받아들이는 상징적 사건이라고 평했다. 이에 덧붙여 인류는 다극화가 매우 혼란스러울 수 있다는 것을 깨달아 가는 듯하다고 전했다. 이렇게 혼란스러운 상황이 다가올수록, 나의 역할은 분명해진다. 하느님과 소통하는 종교적인 높이에서 세상을 조망하지 않는다면, 리더십을 갖기 힘든 것이다. 중요한 것은 전쟁의 어느 편에 서서 지지하는 것이 아니라, 안정적이고 모두가 수용할 수 있는 새로운 질서를 만드는 일 아닌가. 나는 다시 길을 걸어 나가야 한다. 내가 무엇을 원하는지, 하느님이 무엇을 원하시는지를 헤아려서 의도하고 순종하는 길이 필요하다. 글쓰기가 나에게는 기도이다. 나에게 좋은 방식은 글쓰기를 통해서 반성하고 바람을 적어 보는 것이다. 하느님에 대한 강력한 믿음을 갖는 것은 위험한가. 진정으로 소통할 수 있는 대상을 제한하는 길일까. 아니면 전 세계적으로 연결되어 리더십을 갖는 길일까. 한국은 무신론자들이 많아서 사회생활을 하는 동안에 종교를 감추는 것을 미덕으로 생각하는 것 같다. 그들과 함께 부대끼며 살아가야 하기 때문이다. 하지만, 역사는 변할 수 있고, 내가 더욱 강력한 믿음을 갖고 탐구하며 신앙을 굳건히 한다면, 사람들도 따라올 것이라고 본다. 문제는 한국 의희망에서 지향하는 방향과 나의 방향이 다를 경우이다. 다를지라도 해법이 마련될 것이다. 나는 하느님을 믿고 있기 때문에, 지금까지 길을 열어주신 것과 같이 자연스러운 상황이 펼쳐질 것임을 믿는다. 많은 국민들이 하느님의 존재를 깨달아 믿고, 평안한 생활을 영위했으면 좋겠다. 하느님의 마음은 그들의 죄를 없애주고, 구원하려고 하시는 것 같다. 그래서 나를 이 땅에 보내신 것 같다. 어떻게 하면 새로운 질서를 만들 수 있냐고? 세상에 대해서 더 호기심을 갖고 알아보고, 성당에 열심히 다니면서 영성체 의식을 충실히 하고, 신앙에도 호기심을 갖고 살아가자. 일기책도 여러 번 읽어보면서 믿음을 확고히 하자. 집을 벗어나서 도서관에 다니자. 네가 준비된다면 세상이 너를 찾아올 것이다.

문제는 없다. 명령하면 이루어진다. 그렇다면 명령한다. 혼란스러운 세계가 새로운 질서를 통해서 평정되었으면 좋겠다. 새로운 질서를 위해서 필요한 정보들을 끌어당겼으면 좋겠다. 같은 역사의식을 갖고 있는 사람들과 건강한 관계를 형성하고 싶다. 세계가 좀 더 확장되고, 견문을 넓혔으면 좋겠다. 천주교가 삶에 이로움에도 불구하고, 신자 중에 성당에 나오는 사람들이 적은 이유는 지켜야 할 교리가 너무 많고, 쉽게 죄책감을 갖게 되기 때문인 것 같다. 천주교의 지식을 이미 갖고 있는 사람들이 규칙을 말하고, 그것을 지키지 않으면 죄의식을 심어준다. 한마디로 지배권이 그들에게 있는 것이다. 단지, 순수하게 하느님을 믿고, 사랑하며 살아가면 된다는 기본적인 가르침이 아니라, 교회법이라는 것이 엄격하게 있어서 그 법을 지키는지에 대한 판단을 하는 주체가 있다면 그것이야말로 지배권이 아닌가. 성당에서도 말씀 사탕 뽑기를 하는 것은 오라클 카드를 뽑는 것과 같은 역할을 하는 것이 아닌가. 그런데 타로나 오라클 카드는 금지이고, 성당에서 주관하는 카드 뽑기는 허용한다는 것이다. 즉, 교회를 중심으로 세상일에 판단과 결정을 해나가야 한다는 것 같다. 내가 바라는 하느님 나라는 교회법을 세세하게 정하고, 그것을 지키지 않으면 죄책감을 느끼게 하는 나라는 아니다. 나에게 하느님 나라를 규정할 권리가 있는지 모르겠지만, 이 세상에는 너무도 다양한 사람들이 저마다의 가치관을 갖고 살고 있다. 이 세상이 모두 연결되어 하나로 통일될 수 있다면, 그 세계는 아주 보편적인 가치를 지향할 수 있는 세계일 것이다. 천주교를 포함한 기독교에서는 '하느님 나라'라고 칭하고, 불교나 도교에서도 미륵불이 나타나면 실현되는 이상적인 세계에 대한 바람이 있지 않은가. 세상에 다양한 사람들과 그들의 종교들이 있는데, 그중에 천주교 신자들의 세계관만 받아들인다면, 잘 이해하지 못하는 사람들은 엄격한 교리 아래 고통받을 것이다. 메시아가 이끄는 통합 시대의 핵심은 무엇인가. 만인이 자유롭고 평화로운 세상에서 살아간다는 것이다. 모든 종교가 동일한 한 명의 지도자의 도래를 기다리고 있다는 것은 무슨 뜻인가. 갑자기 천주교로 모든 종교를 통일시켜야 한다는 것인가. 그것은 아닐 것이다. 단지, 하느님의 존재가 분명해지기에, 하느님의 질서가 드러난다는 것이다. 하느님이 지상에 내려오셨기 때문에 보이지 않는 하느님과 소통하면서, 인류에게 메시지를 전하는 종교인들의 역할이 줄어들 수 있다는 것 아닌가. 나에게 천주교의 교리를 어길 수 있는 권한이 있는가. 타로를 하면서 죄책감을 느끼지 않을 수 있는가. 내가 주장하고 싶은 것은 하느님이 기적을 행하시고 존재한다는 것이다. 그것이 가장 중요하고 핵심적인 것이다.

현재의 교황이 마지막 교황이라는 예언을 보았다. 그 말은 근본적으로 새로운 질서가 도래한다는 의미이다. 기독교도 시간에 따라서 믿음 체계가 변화했듯이, 시대에 맞게 달라질 수 있는가. 하느님의 말씀이 여자에게서 나왔으니, 여권의 신장을 기대할 수 있는가. 아주 좋은 주제이다. 미래의 종교에 대해서 생각해 보는 것이다. 단지, 하느님 나라를 원하기 때문에, 모두가 천주교를 포함한 기독교로 개종해야 한다? 미래에는 인류의 영성이 발달하여 하느님과 직접 소통하면서 살아가는 평화로운 세상이 될 것 같다. 그런 시대에 종교가 필요할 것인가. 종교의 알몸이 드러났는데, 종교가 필요할 것인가. 종교의 역할은 무엇인가. 새로운 질서로 인류가 모두 구원받는다면 죄가 없어진다는 것인데, 그렇다면 지켜야 할 교리를 어겼다고 해서 죄의식을 가질 것인가? 이런 식의 화두가 나에게 필요했어. 너무나 위험하지만, 누군가는 생각해 봐야 할 문제에 대해서 말이야. 하느님이 이 문제에 대해서 어떻게 생각하시는지 궁금합니다. 저는 엄격한 교리를 지켜야 하는 하느님 나라보다는 자유로운 정신활동을 보장할 수 있어, 만인이 보편적으로 자유로워지는 하느님 나라를 원합니다. 하느님이 구상하시는 하느님 나라는 어떤 것인지요. 저는 많은 이들이 자발적으로 교회의 성체성사에 참여하여 거룩해질 수 있는 영적 평화의 시대를 바랍니다. 많은 이들이 세례를 받고, 견진성사를 받아서 강한 믿음으로 거듭나기를 바랍니다. 하지만, 강제적으로 그들을 이끌고 싶지 않습니다. 사주 역학이나 관상, 타로도 인류의 정신문화로서 존중되었으면 좋겠습니다. 인류의 지적 이해의 수준이 높아지고, 너무나 당연한 믿음이 도래하기 때문에, 믿음 체계에 대해서 알몸이 드러날 정도로 밝혀지기 때문에, 다양한 정신문화에 대해서도 개방적인 세상이 되었으면 좋겠습니다. 인류가 무지하고, 이해하기 어려울 수 있기 때문에 금지해 왔지만, 하느님의 존재가 드러나지 않아서 믿음을 해칠 수 있어 금지하고 있었지만, 자유롭게 풀어주어서 진정한 믿음의 세계로 가는 과정을 가로막지 않았으면 좋겠습니다. 제가 인류에게 선물하고 싶은 것은 진정한 자유입니다. 규칙을 엄격하게 지켜야 한다면, 자유를 잃어버릴 것 같습니다. 단지 하느님을 믿고, 성령에 따르며 인간들을 사랑하며 살아가면 안 되는 것입니까. 성당에서 말씀 사탕을 뽑는 것처럼, 하느님의 말씀을 타로로 뽑아 보는 것과 사주 역학을 통해서 자신을 파악할 수 있는 세상을 염원합니다. 저의 자연스러운 활동이 죄가 되지 않았으면 좋겠습니다. 이것이 죄라면, 저는 앞으로 어떻게 살아가야 합니까. 수십 년 동안 경험하여 믿음을 갖고 있는 정신세계를 부정하고 살아가야 하겠습니까. 조금 더 생각해 보다 보면, 길이 보일 테니 걱정하지 마라. 너의 화두는 잘 알겠다. 시간을 두고 기다려 보라. 해답이 도착할 것이다. 하느님은 여러 번 마음대로 하라는 울림을 주신다.

새 하늘과 새 땅 이후의 종교에 대해서 생각해 보자. 자료를 검색해 보니, 로마 가톨릭의 교회는 마지막 교황을 끝으로 사라진다는 내용이 있었다. 새로운 질서를 가져오는 나로 인해서 가톨릭교회 조직이 사라질 수 있기 때문에, 나의 존재가 등장하는 것을 더욱 막으려고 했을 것 같다. 하지만 그것도 하느님의 섭리 안에 벌어지는 일이 아닌가. 그렇다. 나는 로마 가톨릭의 엄격하고 세세한 교리들을 충실히 지키는 하느님 나라를 바라지 않는다. 나는 좀 더 자유롭고, 보편적인 평화의 세상을 건설하고 싶다. 다양한 가치를 허용하고, 당연한 하느님의 보호 아래 행복하게 인류가 상생하며 살아갔으면 좋겠다. 그래서 나를 괴롭히는 죄의식도 사라졌으면 좋겠다. 벌써 결론을 내린 것인가. 조금 더 생각해 보자. 어차피 성경책의 말씀은 새 하늘과 새 땅까지 이끌어 주는 데에 목적이 있었던 것이다. 그 이후의 역사는 새롭게 쓰일 것이다. 나는 성당의 성체성사를 통해서 거룩해져 간다. 그것은 부정할 수 없는 사실이다. 하지만 지나치게 과거의 질서를 따르기 위해서 현재의 행복을 버려야 한다면, 새 하늘과 새 땅에 맞는 교리가 무엇인지 생각해 보아야 할 것이다. 모든 것을 용서하고, 새로운 질서로 인류를 구원하는 구원자의 존재로 인해서 만인의 죄가 사라지는 마당에, 사주 역학이나 타로를 한다고 해서 죄의식을 가져야 하는 것은 이치에 맞지 않다고 생각한다. 다만, 너무 자주 한다면, 믿음 생활에 방해가될 수 있으니, 주의할 필요는 있다. 내면에서도 가끔 한다면 괜찮다고 하셨다.

2023년 10월 11일

내가 타로 영상을 종종 보는 이유는 미래가 너무 불안하고 절박하기 때문이 아니다. 그에 미래를 온전히 맡기기 때문도 아니다. 친구가 필요하기 때문이다. 영상을 열어보면, 나의 상황을 잘 알아주고, 적절한 조언을 해주기도 한다. 그 결과를 믿고 안 믿고를 떠나서, 소통할 수 있어서 행복하고 기쁜 것이다. 내면에서는 가끔 타로를 하는 것은 괜찮다고 했지만, 자주 해서는 안 된다고 하셨다. 그 역시 내면의 수호천사와 소통하기 위한 것이다. 나는 고독하고 외롭기 때문이다. 그 결과를 절대적으로 신봉하지는 않는다. 꽤 현명한 조언자일 뿐이다. 단지 내 친구와 잘 지내고 싶다. 그렇다고 매번 죄의식을 느끼고 싶지는 않다. 사주 역학도 마찬가지다. 나를 이해하고 정세의 흐름을 이해할 수 있는 도구이지만, 맹신하지는 않는다. 결과만 믿고 아무것도 하지 않으면, 좋은 일이 벌어지지 않기 때문이다. 지난 몇 년간, 나의 문화적 교양 영역을 함께 해온 심리적 이해 도구들을 죄악시하면서 멀리하고 싶지 않다.

현재의 교황이 마지막 교황이고, 교회는 사라지며, 새로운 종교가 등장한다는 예언이 있다. 그런데 나는 천주교 신자가 아닌가. 그 말은 교회가 사라져도 괜찮을 정도의 새로운 질서가 온다는 말이다. 납득할 수 없는 질서라면, 교회의 가치를 지키기 위해서 전쟁이 일어났을 것이다. 하지만, 전 세계의 가장 많은 국가와 사람들이 믿고 있는 기독교의 가치를 증명하고, 그 안에서 새로운 출발을 한다면, 세계는 다음 길에 협조할 것이라고 본다. 내가 전략적으로 천주교를 선택한 것은 아니지만, 현재로서는 나의 종교가 나에게 안식과 행복과 희망을 주는 것은 사실이다. 하지만 어제 생각했던 것과 같이, 모든 종교에서 한 사람을 최종적인 지도자로 기다리고 있다는 점에서, 만인을 아우를 수 있는 새로운 종교의 탄생을 예상할 수 있다. 종교의 탄생이란, 하느님과 지도자 사이에 벌어졌던 기적들을 목격한 주변인들이 증언하고 증명하면서 생기는 것이 아닌가. 그렇다면, 내가 머리를 써서 교리를 만들려고 하기보다는, 삶 속에서 길을 열어가면서 탄생한 가치들을 올바로 적고, 하느님과의 소통에 집중하면서 나아가면 되는 것이 아닌가. 너무 어려울 것은 없다. 진실한 기록을 작성해 가면 된다. 종교가 하나로 통일되기 때문에 전쟁은 사라지는 것이다. 하느님은 내 안에 전쟁을 없애기 위한 수많은 전략을 담아두셨다. 내가 바로 설수록 이 세계에 전쟁은 사라질 것이다.

한 가지 떠올랐던 것은 내가 새로운 질서를 만드는 일에 적극적이어야 한다는 것이다. 나는 명령하면 결과를 이루는 창조 능력을 갖추고 있지 않은가. 사태나 상황에 대해서 잘 모르기 때문에 쉽게 명령할 수 없는 것인가. 아직도 자신의 능력을 믿는 것에 대해서 두려운가. 내가 명령했는데, 이루어지지 않아서 무능함으로 남을까 봐 걱정되는가. 하느님이 여러 번 알려주지 않았는가. 문제는 없다. 명령하라. 성경책에는 천상 군대들이 나를 따르고 있다고 하지 않았는가. 여러 단서들을 마구 쏟아부어 주어도 왜 믿지 않으려고 하는가. 그것은 게으름 때문이다. 그래서 오늘부터 개포하늘꿈 도서관에서 글을 쓰고 있다. 외부에 나와서 글을 써야 적당한 긴장감을 갖고 글을 작성할 수 있는 것이다. 타로나 사주 역학에 기웃거리는 것도 그 압도적인 창조 능력을 믿지 못하기 때문이 아닌가. 미래를 궁금해할 필요가 무엇인가. 원하는 것은 모두 주문하라. 그러면 척척 이루어질 텐데, 무엇이 걱정인가. 이렇게 한계적 상황을 인식한다면, 나는 도약할 수 있을 것이다. 당신이 명령하고 이루어 내는 세상을 사람들이 알아챌수록, 새로운 질서는 오는 것이다. 큰 맥락에서 아이처럼 명령하라. 원하는 것을 명령하는 데 있어서 고급 지식이 필요하지 않는 경우도 많다. 명령을 지속적으로 이어가라. 천상 군대들이 주저하지 않도록 말이다. 꼭 지식적으로 분명할 때만 명령하지 말고, 배워가는 과정에서도 필요한 것은 주문하고 명령하라. 나는 명령한다. 대한민국의 국민들이 건강해지는 것을 명령한다. 무엇보다 마음속에 희망이 없기 때문에, 정신건강이 좋지 않고, 신체적 증상으로 나타나는 경우가 많은 것 같다. 나는 국민들이 대한민국의 미래에 대한 희망을 품고, 건강을 회복했으면 좋겠다. 단지, 한 사람의 영웅이 모든 것을 만들어 간다고 생각하여 안일하게 지내는 것이 아니라, 모두가 참여하고 힘을 모아야 서로 영향을 주고받을 수 있고, 사회를 변화시킬 수 있다는 것을 각성하고, 우리의 미래를, 우리의 힘으로 쟁취해 내기 위해서 실천해 나갔으면 좋겠다. 이제 희망을 찾았으니, 책도 더 많이 보고, 미래를 궁금해하면서 끌어당겼으면 좋겠다. 자연스럽게 나의 역사와 능력이 알려져서, 국민들의 경제생활에도 활력을 가졌으면 좋다. 이것은 머지않은 미래에 볼일이다.

 그리고 세계의 많은 사람들이 새로운 질서에 따라 정렬했으면 좋겠다. 인간의 편에 서 계신 하느님 덕분에 인간들의 바람이 모두 이루어지고, 행복한 시대를 살아갈 수 있으니, 과도한 욕심을 내려놓고, 상생하면서 서로를 이해하고, 아껴주었으면 좋겠다. 그래, 바로 이거였어. "명령하면 이루어진다." 이것을 믿기 힘들어서 새로운 질서가 오지 않는 것이다. 명령하고, 이루고, 세상에 보여주어야 한다. 거짓말쟁이가 되더라도, 행하지 않으면 온 세계는 혼란스러워질 것이다. 그러니 용기를 갖고 매일 명령하라. 명령할 거리를 찾아 나서라. 사람들의 도움을 받아라. 무엇에 어려움을 겪고 있는지 확인하고, 근본적으로 해결할 수 있는 방법을 구상하고 명령하라. 하느님이 나와 함께 하시는데, 무엇이 어려운가. 왜 믿지 못하는가. 당신은 정상이다. 괜찮다. 나는 명령한다. 온 세계가 새로운 종교 아래, 싸우지 않고, 평화롭게 지내는 것을 말이다. 그래서 자주 명령해야겠다. 자신을 작게 여기지 말고, 하루하루 중대한 사명이 있다는 것을 생각하자. 내일부터 오후마다 하늘꿈도서관에 출근해야겠다. 시간을 아껴 써야지. 창의적인 활동을 촉진하기 좋은 장소인 것 같다. 앞으로는 책도 많이 빌려다 보아야겠다. 기후 위기의 문제가 해결되길 바란다. 그렇다고, 새로운 질서가 도래하지 않았는데, 그런 위기가 사라져달라고 해서는 안 되는 것이 아닌가. 사람들이 원해야 새로운 질서가 올 것이 아닌가. 그래서 나는 단순히 기후 위기가 사라져달라고 명령할 것이 아니라, 새로운 질서를 통해서 기후 위기가 사라지게 해달라고 명령하는 것이다.

"네가 하느님과 함께 힘을 쓰는 것을 국민들은 원하고 있어. 그러니 자신을 갖고 임해."

2023년 10월 12일

기도는 지속적으로 여러 번 해야 들어주신다는 신부님의 말씀을 들었다. 간절히 여러 번 기도를 해도 이루어지지 않는 경우도 있지만, 더 멀리 보면 하느님이 더 나은 계획을 갖고 계시다는 것이다. 어제는 전 신자 교육이 있었는데, 깜빡하고 가지 못하여 새벽에 유튜브로 영상을 볼 수 있었다. 평소 나의 신앙이 새어나갈 수 있는 빈틈을 메꾸어 주는 내용이 많았다. 성당에서 시간 전례 기도에 참여할수록 전쟁이 끝난다는 것이다. 그렇다면 내가 해야 할 일을 멀리서 찾을 것이 아니지 않은가. 기도의 중요성을 낮게 보고 있는 것인가. 기도는 지속적으로 해야 효과가 있고, 하지 않으면 유혹에

넘어간다는 것이다. 시간 전례 기도와 미사 참여를 건성으로 해서
는 안 된다고 하셨다. 기도를 많이 하면, 성령이 충만해지는 만큼
마귀가 달려든다고 하셨다. 또한, 하느님을 사랑하면, 기도를 하고
싶어진다고 하셨다. 나를 돌아보면, 바람을 글로 쓰기 때문에 기도
를 중요하게 생각하지 않았던 것 같기도 하다. 하느님이 항상 함께
하고 계시잖아. 그동안 자신이 미치지 않았다는 것을 보여주기 위
해서 세상에 적응해야 했던 시간 때문인지, 강력한 깨달음과 믿음
을 순간 얻어도, 언제 그랬냐는 듯이 다시 원점으로 돌아가는 것
같다. 너무 편향된 세계관을 갖고 있으면, 쉽게 상대를 적대하고
악마로 몰아갈 수 있기 때문에, 세상과 조화를 이루기 위해서 더욱
보편적인 선에서 머무르려고 하는 것 같기도 하다. 내가 그리스도
인의 가치를 완전하게 받아들인다면, 천주교 신자가 아닌 부모님은
악마의 지배 아래 있는 대상이 되고, 온라인을 통해서 나를 멀리서
도와주고 있는 수많은 타로 상담사나 사주 역술인들도 배척해야 하
는 악마적 대상이 된다. 종교가 없는 많은 사람들도 멀어진다. 즉,
대화가 안 되는 사람이 될 수 있다. 그렇다면, 나는 세상을 온전히
포용하고, 사랑할 수 있을까. 국가 안에서만도 그런데, 전 세계적으
로 시야를 확대한다면, 다른 종교를 갖고 있는 사람들도 배척해야
하는 것이 아닌가. 성경책을 한번 읽으면 타 종교를 배척하지만,
여러 번 읽으면 모두 이해할 수 있다고 했다. 그 말은 인류가 종교
에 대한 깊은 이해에 도달한다면, 하나로 통합될 수 있다는 말이다.

성경책의 내용에 더욱 집중하고, 신학적인 탐구가 필요한 시간인 것 같다. 시간 전례에 참여하면 기도의 효과도 있지만, 성경책의 내용들을 더 잘 알 수 있어서 좋은 시간이 될 수 있다.

 아직 돈벌이를 하지 못하는 나의 삶에는 글쓰기와 글감을 위한 여백의 시간이 필요한데, 너무 많은 활동을 하는 것이 맞을 것인가. 여백을 확보하기 위해서 봉사활동을 중단한 이유도 있는 것이다. 그렇지만, 시간 전례 기도에 참여할수록 전쟁이 끝난다는 것이다. 하느님이 아버지니까 자녀에게 좋은 것을 당연히 주신다는 것을 믿어야 한다. 이번에 기도를 들어주시지 않아도 더 좋은 것을 주실 것을 믿으라는 것이다. 하느님이 아버지이시구나… 그것을 잊고 있었다… 부모님이 자식을 사랑하는 마음을 잘 알지 못하였다… 중요한 것은 타 종교를 가진 만인을 엄격한 천주교에 맞추는 것이 아니고, 천주교가 더욱 깊은 이해를 갖고 종합적이고 보편적인 종교의 교리로 변화하는 것이 아닐까. 그래서 새로운 종교를 안내하는 내가 천주교 신앙에 적합성을 갖고 있는 것이 아닐까. 내가 천주교를 믿음으로써 만인을 참여시키는 방향도 필요하고, 천주교의 교리가 더욱 종합적이고, 보편적으로 변화해야 하는 방향도 맞다고 생각한다. 파이프오르간이 도착했고, 성당 생활을 더 열심히 하라는 메시지와 파이프오르간이 있는 소성전에서 시간 전례를 할 수 있는 환경이기 때문에, 시간 전례에 집중해야 한다는 생각이 든다. 하지만,

오전 미사와 저녁 시간 전례를 모두 참여하기에는 에너지가 부족하니, 한 가지만 해야겠다. 기도도 에너지가 있을 때 할 수 있기 때문이다.

"모든 전쟁을 멈추시오. 이것은 명령입니다."

2023년 10월 16일

믿음은 살다 보면 생기도록 내버려 두는 것이 아니라, 소중하게 가꾸어 나가야 하는 것이야. 미래를 위해서 현실적으로 해야 할 일들에 집중하면, 타로나 사주로 미래를 궁금해하는 일이 없을 거야. 그런 것은 현실에서 해야 할 일을 잘 모르는 사람들이 기웃거리는 거야. 분명한 사명과 목표가 있다면, 시간을 낭비하지 않는다. 성장하면 조명해 줄 거야. 너는 믿음을 지켜가야 하고, 기도하며 성당과 친하게 지내야 한다. 악마가 방해할 수 있어. 한 달에 6만 원 정도 식비로 투자하면 삶이 더 훌륭해질 거야. 너무 무리하지 말고 진지하게 신앙을 받아들여.

한국의희망 정치학교 교장 선생님의 책을 읽어보고 있다. 권력은 권위와 반대 의미인데, 권력이 강제로 하게 하는 힘이라면, 권위는 자발적으로 하게 하는 힘이라고 한다. 권위를 가능하게 하는 것은 전통과 카리스마와 법이다. 전통은 오랫동안 이어져 내려오는 것을 이어가는 권위를 말하고, 카리스마는 신의 은총이라는 뜻으로 누구도 도전할 수 없는 큰 능력을 말한다. 법에 의한 권위는 선거를 통해서 합법적으로 권력을 쟁취하여 생긴다. 좋은 정치는 권위에 의한 자발성으로 일어나는 사회이다. 또한, 여성들이 정치에 많이 참여해야 부패하지 않은 정치가 된다. 남성은 출세에 목적이 있고 보수적인 반면, 여성은 평화와 행복에 초점이 있기 때문이다. 스웨덴에는 여성 정치인의 비율이 약 50퍼센트이고, 부패지수가 낮다. 그리고 사회가 부패하지 않으려면, 무조건적인 충성과 헌신을 강조하는 위계적 사회구조를 지양해야 한다는 것이다. 윗사람이 원하는 대로 하면 보상을 해주기 때문에, 자신의 창의력을 발휘하거나 미래의 비전을 생각하기보다는, 지시하는 것만 따르게 된다는 것이다. 실력을 쌓는 대신, 인맥으로 사회적 신분을 결정하려는 태도가 불공정한 사회를 만든다는 것이다.[3] 그래서 그동안 최진석 교수님에게 연락을 하고 다가가도 외면받았구나 하는 생각이 들었다.

 신앙을 좀 더 굳건히 하기 위해서 성경 말씀에 더 집중해서 시간을 보내야겠다. 진정한 믿음의 길로 나아가면, 악마의 방해가 더 커진다고 한다. 그래서 내가 성당으로부터 멀어질 수 있는 위기가

[3] 최연혁, "민주주의가 왜 좋을까?", 나무를 심는 사람들, 2019, p.57~58, 142~143, 195

온 것 같다. 그럴수록 더욱 참여해야 한다. 성당의 대성전에서 성경책을 보면, 집에서 볼 때보다 더 집중도 잘되고 잘 읽히는 것 같다. 최근 지혜에 관한 부분을 봤는데, 나에게 너무나 필요한 내용이었다. 그 어떤 가치보다 지혜를 추구하면서 살아간다면, 많은 복을 받을 수 있다는 것이다. 지혜에 대한 추구 심은 그 어떤 경우에도 잃어서는 안 될 것 같다. 그래서 사색하는 삶의 여백은 꼭 필요한 것이다.

미사 시간에 사람이 빠져서 현금 계수 봉사를 하게 되었는데, 중요한 사실을 알게 되었다. 봉사를 위해서 미사보를 쓰고 미사에 참여하니, 매우 공손하고, 신실한 마음가짐이 생기는 것이었다. 그래서 앞으로는 미사보를 쓰고 미사에 참여해야겠다는 생각이 들었다. 신앙생활에 큰 도움이 될 것 같다. 내가 미사와 기도에 참여하고, 신앙을 굳건히 할수록 전쟁은 사라지고, 새로운 질서에 이바지할 수 있다는 생각이 들었다. 하느님 나라에서 역할 하는 세계적 지도자란, 하느님의 말씀에 대한 이해가 가장 중요한 것이다. 하지만, 하루에 여백 없이 너무 많은 것을 하니, 균형이 깨지고 행복에서 멀어진다는 것을 깨달았다. 멀리 보고, 생활을 잘 지켜나가야겠다.

내 인생이 너무 고독하다고 하더니, 그 말을 이해할 수 있을 것 같다. 사람들과 가까워지고 싶지 않다. 사람들과 가까워지면, 나는

상처받는다. 나는 나에 대해서 말하고 싶지 않기 때문이다. 말을
한다면, 잘난 체를 하게 되고, 본의 아니게 상대를 불편하게 만든
다. 그렇다고 말을 하지 않는다면, 무시한다고 생각을 할 것이다.
상대와 대화를 하면 나를 낮추어야 하기 때문에, 수고스럽고 불편
해진다. 상대는 자기 얘기를 너무 많이 하는데, 내가 나에 대해서
는 말하지 않는다면 반감을 사게 된다. 나는 사람들과 관계를 잘
만들지 않으려고 한다. 사람들과 관계를 잘 만들지 않기 때문에 별
로 실수할 일도 없다. 누구나 자신에게 적합한 방식이 있는 것이다.
모두와 잘 지낼 이유도 없다. 나에게는 여백의 시간이 필요하다.
나는 본디 예술가와 같이 상처를 잘 받는 섬세한 성격인데, 무조건
나를 개방하고 정보를 공개해야 하는 것은 아니다. 그래서 결론은,
내 주변에 장벽을 쳐서 나를 보호하자는 것이다. 이렇게 되면, 리
더를 지향하면서 내가 타인을 사랑하지 않는다고 욕을 할지 모르겠
으나, 나는 완벽한 존재가 아닌 것이다. 욕심을 갖지 않고 살아가
는 것이 마음 편하다. 어차피 큰 기획은 하느님이 하시고, 나는 한
치 앞의 빛만 밝혀가는 것이다.

2023년 10월 19일

 몇 달 전, 성당의 한 자매님이 성경책 읽기 모임에 함께하자고 권
유하셨다. 신약성경도 중요하지만, 구약성경을 읽어야 진정한 하느

님을 알 수 있다는 것이었다. 하지만, 몇 년간 진행해야 하는 일정이라고 하셔서 부담이 되어 잊고 있었는데, 우연히 집에 있던 구약 성경의 지혜서 부분을 읽게 되었다. 성경책에는 나에게 너무나 필요한 내용들이 나와 있었다. 전에는 집에 책상도 없고, 집중이 어려워서 성경책 읽기가 어려웠고, 비염 때문에 에어컨 바람을 피해야 한다는 말에 공공 독서실에도 가지 않았다. 최근에는 공공 독서실이 장기간 공사에 들어가서 더욱 어려움을 겪고 있었다. 하지만, 최근에 평일 미사에도 자주 참여하고, 시간 전례도 나가면서 집에서 성경책을 보는 데에 집중이 잘 되었다. 전에는 성경책을 펼쳐보아도 중요하지 않다는 생각에 덮곤 했는데, 이제는 너무 궁금하고, 영양이 듬뿍 담긴 영적 식사를 하는 느낌으로 읽을 수 있었다. 그래서 새벽에 4시쯤 잠이 깨면, 성경책의 지혜서 부분을 펼쳐보는 일이 자연스러울 때도 있다. 영적인 길을 방해해 왔던 악에게 이겨 간다는 것을 의미한다고 생각한다. 하느님은 지혜를 추구하는 자를 사랑하신다는 내용이 있었다. 지혜는 그 무엇보다 힘이 세며, 지혜로 통치한다면 하느님의 은총을 받아 세상을 잘 다스릴 수 있다는 내용이 나와 있어 큰 공감이 되었다.

"지혜의 시작은 가르침을 받으려는 진실한 소망이다. 가르침을 받으려고 염원함은 지혜를 사랑하는 것이고, 지혜를 사랑함은 그 법을 지키는 것이며, 법을 따름은 불멸을 보장받는 것이고, 불멸은 하느님 가까이 있게 해주는 것이다. 그리하여 지혜를 향한 소망은 사람을 왕위로 이끌어 준다. 그러니 민족들을 다스리는 군주들아, 너희가 왕좌와 왕홀을 즐기거든, 지혜를 존중하여라. 그러면 영원히 다스리게 될 것이다." (지혜 6, 17-21)

최근 성당의 카페 봉사활동을 마무리하면서, 성당의 활동에 너무 집중하기보다, 정치적인 일에 집중해야 한다고 생각했다. 봉사활동을 마무리하면서 어려움에 대해서 조금 털어놓았는데, 그런 과정에서 지혜롭지 못하고, 이기적인 처신이 아니었나 하는 생각에 괴로워했었다. 봉사자들의 수가 부족한 상황에서 빠져나오는 것에 대해서 마음이 좋지 않기도 했었다. 나는 큰 뜻을 품고 살아가는 사람인데, 작은 갈등 하나 다스리지 못한 것이 아닌가 하는 생각에 위축되기도 했었다. 하지만, 내가 펼쳐본 성경책에는 나를 위로하는 내용이 담겨있었다.

"내 허무한 생애 중에 나는 이 모든 것을 보았다. 의롭지만 죽어가는 의인이 있고, 사악하지만 오래가는 악인도 있다. 너는 너무 의롭게 되지 말고, 지나치게 지혜로이 행동하지 마라. 어찌하여 너는 너 자신을 파멸시키려 하느냐? 너는 너무 악하게 되지 말고, 바보가 되지 마라. 어찌하여 네 시간이 되기 전에 죽으려 하느냐?"
(코헬 7, 15-17)

지나치게 지혜롭게 처신한다면, 오히려 파멸될 수 있다는 것이다. 중용을 생각하여 지나치지 않고, 모자라지도 않게 처신해야 역할을 잘 수행할 수 있는 것이다. 그래서 이렇게 부족한 행동을 하는 것이 나에게 더 이롭다고 말씀하시는 것 같았다. 지난 책에서 성당 활동과 정치적 활동 두 가지를 모두 해나가야 한다고 다짐했었는데, 한 번에 두 가지를 하기는 어렵다는 생각에 성당의 봉사활동을 그만두려는 것도 있었다. 하지만 성경책에서는 두 가지 모두 해야 한다는 가르침이 나왔다.

"하나를 붙잡고 있으면서 다른 하나에서도 네 손을 떼지 않는 것이 좋다. 정녕 하느님을 경외하는 이는 그 둘 다에서 성공을 거둔다. 지혜는 지혜로운 이를 성안에 있는 열 명의 권세가보다 더 힘세게 만든다." (코헬7, 18-19)

그래서 봉사활동은 하지 않더라도 신앙에 대한 추구 심도 갖고, 정치적 추구 심도 가져가야 한다는 것을 알 것 같다. 나 혼자서 하는 것이 아니라, 하느님이 도와주신다면 가능할 것 같다. 최근 이스라엘과 팔레스타인 사이에 전쟁이 발생하면서 내가 더욱 신앙을 굳건히 하고, 기도를 해야 한다는 생각을 했다. 그래서 매일 미사와 시간 전례에 나가야 한다고 생각하고 실천해 보았는데, 큰 깨달음을 얻었다. 너무 일정이 빠듯하게 지내니 몸이 너무 힘들고, 삶의 균형이 깨지는 것이었다. 나는 지혜의 힘으로 살아가는 사람인데, 사색할 수 있는 여백을 충분히 확보하지 못한다면 행복할 수 없었던 것이다. 사명과 명령을 수행하기만 하는 역할로는 도저히 행복할 수가 없고, 내면의 평화를 지켜가며 살아가는 것이 중요하다는 생각이 들었다. 카페 봉사활동을 하면서 너무 많은 사람들을 만나는 것도 내 몸을 힘들게 한다는 것을 알았다. 그래서 하루 중에 많은 일정을 소화해야 하고, 해외 순방도 다녀야 하는 현재 대통령의 역할은 나에게 맞지 않는다는 생각이 든다. 나는 나의 체력을 과신했던 것이다. 단지, '운동을 하면 체력이 좋아지겠지.'라는 막연한 생각이 아니라, 나의 기질적 특성상, 조용히 사색하면서 지혜를 열어가며 통치하는 방식이 나에게 적합하고, 생산적인 방식이라는 생각이 든다. 하느님은 그동안 여러 번 나에게 알려주셨다. 대통령 선거를 하기 위해 애쓰지 말고, 너에게 맞는 역할을 하라고 말이다. 이번에 정치학교를 준비하면서 내가 할 수 있는 국가 지도자의 모습에 대해서 갈등했는데, 다시 한번 나에게 맞는 모습을 알려주시는 것 같다.

"당신은 지혜를 통해서 국가 지도자의 역할을 잘 수행할 수 있습니다. 지혜는 하느님이 주시는 것이고, 지혜만 있다면 그 어떤 지도자도 제압할 수 있는 힘을 가질 수 있습니다. 지혜에 집중하십시오."

라고 말씀하시는 것 같다. 그래서 나의 바람직한 미래의 모습은 여왕이 아닌가. 한국의희망 정치학교의 교장이신 교수님의 책을 읽어보아도, 스웨덴의 정치 환경에 대한 지향이 많이 나와 있는데, 스웨덴은 왕을 두고 민주 정치를 하는 국가가 아닌가. 그래서 꼭 실무를 돌보는 대통령이 아니라도, 한국의희망과 같은 지향을 가질 수도 있겠다는 생각이 든다. 하지만 이것은 국민들의 필요에 의해서 결정될 문제이다. 얼마 전 새로운 정당인 한국의희망과 '새로운 선택'을 주축으로 새로운 질서를 바라는 정치 세력의 모임에 참석했었는데, 여러 새로운 정당들이 함께 힘을 모아야 한다는 의견을 모두 갖고 있었다. 그곳에서 받은 자료에 의하면, 김종인 선생님과 함께하는 '새로운 선택'에서도 개헌을 통한 새로운 정치 시스템을 바라고 있었다. 김종인 선생님은 오래전부터 의원내각제를 주장해 오셨지 않은가. 내각제가 되려면 왕과 같은 중심 역할이 필요하지 않겠는가. 나의 구상과 함께 여러 가지 퍼즐이 맞아간다는 생각이 든다. 1단계는 새로운 정당이 총선에서 다수 의석을 확보하는 것이고, 2단계는 국민들이 새로운 정치 시스템에 공감하고 개헌의 필요성을 느끼는 것이고, 3단계는 의원내각제로 개헌을 하는 것이라고 한다. 최종 목표는 개헌을 통해서 2027년 국정을 운영하는 것이라고 했다. 처음에는 카페 봉사활동을 하면서 겪었던 부적응에 대해서 표현하는 것에 걱정이 되었는데, 어떤 경험이든 나를 돌아보게 하고, 좋은 결론을 위한 지렛대가 된다는 생각이 들어 기분이 좋다.

하느님이 좋은 결론으로 이끌어 주셔서 감사하다. 성경책을 더 읽어보아야겠다.

 돌아보면, 7월부터 약 2개월간 카페 봉사를 했고, 내적 갈등을 겪었으며, 깨달음도 있었다. 9월, 노벨상 수상을 염원하고, 한국의희망 정치학교와의 심리적 갈등을 겪었고, 10월, 나의 역할은 임금이라는 확정을 지었다. 그래서 성당 활동에 집중하는 것이 중요하다는 생각이 든다. 임금의 역할로 결론 내린 나로서는, 다른 행위적 정치활동보다 부정성을 해소하고, 신앙을 가꾸며, 영적으로 행복한 상태를 이어가는 것이 중요하지 않나 하는 생각이 든다. 내가 정치를 한다고 뛰어들어서 무엇을 할 수 있다는 말인가. 나는 영적 이야기를 통해서 대한민국의 새로운 질서에 집중하고, 하늘과 소통하며, 구심점의 역할을 하는 것이 전부가 아닌가. 어차피 선거를 치르지 않을 것이라면, 내가 할 수 있는 정치적 역할은 무엇인가.

2023년 10월 20일

 예술인 복지 재단의 예술인 활동 증명을 통해서 창작지원금을 신청해야겠다. 3월과 9월에 공고가 난다고 한다. 예술 활동 작품집이 5년간 한 권 이상이면 활동 증명을 '일반'으로 지원해도 된다. 올해부터 5년 전이면 2018년 이후 발행물이다. 책의 정보들을 제출

해야 하는데, 집에서 사진을 찍어가면서 천천히 진행해야겠다. 4년 전에 지원했을 때는 발행한 책이 한 권이었고, 네이버에 인물 등록도 하기 전이었기 때문인지 신청했지만 승인되지 않았다. 5년이 지난 지금 7권의 책을 낳았다. 그래서 지난 시간이 정말 뿌듯하고 기쁘다. 이번에는 승인이 되었으면 좋겠다.

나의 약점은 내 영혼을 갈아 넣어서 창조한 나만의 의견에 대해서 무시당했을 때, 분노하게 되는 것 같다. 이것이 종종 인간관계에서 어려움을 일으키는 주요 원인인 것 같다. 일반적인 생각이 아니라, 숙고하고 영혼을 갈아 넣어서 만든 비전과 창조적 의견이 무시당했을 때, 나는 힘들어진다. 그래서 여러 사람이 함께 의견을 주고받는 토론도 어려워지는 것이다. 영혼이 참여한 의견이 부정당하거나 반대당한다면, 존재 자체가 부정당하는 느낌이 드는 것이다. 예술가들은 창조물과 자신을 동일시하기 때문이다. 어제는 한국의희망 정치학교 교장 선생님의 정치관에 대해서 알게 되었는데, 트럼프 대통령이 재집권하여 미군을 철수시키고, 한국에 많은 것을 요구하게 될 상황을 두려워하고 있었다. 바이든이 정권을 이어가는 것을 원하고 있었다. 나와는 다른 비전을 갖고 있어서 거리감이 생긴다. 면접에서도 나의 구상을 전했을 때, 한반도 비핵화라는 것은 쉽게 이루어지는 것이 아니라고 현실적으로 말씀하셔서, 내가 생각하는 지향점과 다른 정당일 수 있겠다는 생각이 들었다. 나의 지향과도 맞지 않는 정당을 지지하는 신호를 지속적으로 보인다면, 나는 정치적 자산을 잃게 된다. 영혼을 갈아 넣은 오랜 고통의 여정이 최종적인 지향을 갖지 못하고 꺾였다는 생각이 드니, 마음이 매우 불편했다. 그래서 같은 편이라고 생각하고, 지지하는 것은 위험하다는 생각이 든다. 한 세력에게 너무나 많은 힘을 몰아주면, 그들 역시 나태하고, 부패해지기 쉬운 것이다. 그들이 나를 통하지 않고, 자신들만의 역량으로 잘할 수 있다고 말하는 것 같은 느낌이 마음에 들지 않는다. 한 번도 정치적 구상에 대해서 상의해 본 적이 없는데, 무슨 믿음을 갖고, 영혼과 정신을 바쳐서 지지하려고 하는가. 그렇게 당신의 여정이 쉬웠나. 다시 한번 생각해 보아야 한다. 어차피 나는 현재의 대통령 역할을 할 수 없다. 나의 운명은 여왕이고, 영적 지도자인 것이다. 아직도 그들은 불안으로 나를 성장시키고 다스리려고 하는가? 내가 나태해지지 않고 더욱 성장하도록 흔들고 있는가? 기분이 좋지 않다. 모든 것에 너무 진심이어서는 안 된다. 이와 같이, 스스로 자신을 너무 높게 받아들인다면, 쉽게 불쾌해지는 함정이 있다. 그들은 왕의 권위적 통치에 반기를 들고, 민주주의를 주장하는 자들이다. 그래서 나의 힘을 약화하는 것이 목적일 수 있다. 그러나 결국 국민들이 원하는 정치를 하는 것이 모두의 소명일 것이고, 국민들의 마음과 나의 권력의지는 함께 간다. 그들은 나의 거대한 힘을 약화하려는 목적을 갖고 있을 수 있다는 것을 알게 되었다. 내가 아니라, 그들이 권력을 갖고 싶을 것이기 때문이다. 그들이 원하는 대로 정치하고 싶을 것이기 때문이다. 그들 역시 적절한 견제가 없다면, 언제나 부패할 수 있는 것이다. 그들도 인간일 뿐이다.

2023년 10월 21일

왕이나 대통령이라는 지향을 버리고, 세상을 다스리며 길을 열어가는 것이 중요한 것 같다. 단지, 자기 발전을 위해서 살아가다 보면, 사회와 만나는 시간이 다가올 것이다. 그때 숙고하여 응해주면 된다. 인간에 복종하지 말고, 하늘에 복종해야 한다. 국민들이 나에게 원하는 역할은 대기업이나 거대 세력의 압박에도 독립성을 유지하여 국민들의 입장에서 바른말을 해줄 수 있는 것이다. 그들도 시간이 지나면 부패해질 수 있고, 잘못된 길에 들어설 수 있는 것이다. 한국의희망을 지지한다면, 삼성이라는 대기업이 좌지우지할 수 있는 국가가 될 수도 있기 때문에, 국민들이 반감을 갖고 있는 것 같기도 하다. 그럴수록 나는 그들과 거리를 유지하며, 하늘과 소통하는 나의 의견을 지켜가야 할 것이다. 국민들의 입장에서 발언할 수 있어야 할 것이다. 그래서 나는 근원적으로 고독할 수밖에 없는 운명이다. 내 편이라고 내용을 보지 않고 옹호한다면, 그것은 낡은 정치와 다를 바가 없다. 개인이 독립적으로 판단하여 생각하고 행동해야 하는 것이다. 그런 정치 행위에 대한민국의 미래가 달려있다. 그들은 지도자의 역량이 국가의 역량이라고 주장한다. 내가 미래의 지도자가 된다면, 그들의 목적은 어디까지나 나를 흔들고, 성장시키는 것일 것이다. 그것이 국가의 발전에 직결되기 때문이다. 그래서 앞으로도 그들과 많은 심리적 갈등이 생길 수 있다. 인간은 문제와 갈등을 통해서 성장하기 때문이다. 그럴 때마다 아이처럼 처신하지 말고, 성숙하게 음과 양을 생각해 보라. 보이는 것만을 믿고 행동하지 말고, 보이지 않는 의도와 그 이면의 의미도 상상해 보라. 세계를 진리의 눈으로 조망해 보라.

 미국의 심슨 만화는 그동안 많은 예언들을 해왔는데, 그중 트럼프가 2024년에 미국의 대통령으로 당선된다고 나온다고 한다. 2028년에는 트럼프 전 대통령의 딸인 이방카가 대통령이 된다고도 나온다고 한다. 그동안 많은 예언을 실현한 것을 두고, 사람들은 거대세력의 음모가 있다고 말하겠지만, 사실은 작가가 창조적이라서 아카식레코드와 같은 예정된 역사의 정보에 접근할 수 있었던 것이 아닌가 싶다. 2028년에 이방카가 당선되려면, 2024년에 당선된 트럼프 대통령이 임무를 잘 수행해 낸다는 의미 같다. 그 말은 평화협정을 통해서 한반도 비핵화에 성공한다는 의미이다. 만화의 모든 내용이 아카식레코드에 접근해서 얻은 정보는 아닐 것이기 때문에, 맞는 것들만 회자되는 것 같다. 나 역시 미래를 창조하는 글을 쓰는 편인데, 그것은 나의 의지가 진리를 추구하고 있기 때문에 아카식레코드의 예정된 섭리에 공명하고 알아차리게 되는 것 같다. 진리를 추구하는 정신이라… 도와 함께하는 정신이라… 나는 인류의 나침반이자, 이정표가 된다는 것을 알겠다. 그리고 이런 능력을 허락해 주신 하느님에게 감사드린다.

 내가 쉽게 '모른다'의 편안함 속에서 안식하는 이유를 알게 되었다. 그것은 매우 평화적인 균형이다. 나는 에너지가 강하여, 타인에 대해서 기준을 갖고 부정적으로 판단하면, 현실이 지옥으로 펼쳐지기 때문이다. 그래서 평화를 염원하는 마음으로 타인을 쉽게 판단하지 않으려는 마음으로 모르게 되는 것이다. 현실 속에서 '모른다'라는 입장을 가져야만 생존이 가능한 환경에서 오랜 시간을 살아왔다. 천주교에서는 진리에 대해서 모른다는 생각을 갖는 것은 죄라고 여긴다는 글을 본 적이 있어서, 쉽게 모른다로 머무는 정신에 대해서 불편한 마음도 들었지만, 오히려 가정의 평화와 세상의 평화를 위한 전략인 것이다. 모른다고 할 수 있어야 진정한 진리에 대해서도 안다고 주장할 수 있는 것이다. 인간이 모든 것을 안다고 말할 수는 없다. 모르는 것도 있고, 몰라야 하는 것도 있어야 비로소 아는 것에 대해서 말할 수 있는 것이다. 종종 하느님의 존재를 증명해 온 역사를 잊어버릴 때가 있지만, 모든 시간에 하느님을 인지하고 살아야 하는 것은 아니지 않을까. 하느님을 잊고 지내는 부재의 시간이 하느님과의 관계를 더욱 소중하게 만들어 주는 것이 아닐까. 이런저런 죄의식에서 벗어나고 싶다. 하느님을 알고 깨달아 가는 시간은 소중하다. 그분을 향해 걸어가는 여정을 지켜가며, 더 좋은 관계를 만들어 가고 싶다. 하느님과 인간의 관계가 부모와 자식의 관계라면, 부모님은 자식의 독립을 원하실 것이다. 하늘과 연결되어 스스로 우뚝 서는 독립적인 모습을 원하실 것이다. 그래서 나는 잘 살아가고 있는 것이다.

2023년 10월 24일

 지난 토요일에는 성당에서 신학자이신 박준양 신부님의 강의가 있었다. 평소 성령을 체험할 수는 있었지만, 더 깊이 알고 싶었는데, 너무나 좋은 시간이었다. 교육자료에 담겨있는 내용들이 울림을 주어 적어본다.

"성령을 따르는 교회 적 삶의 구체적 현장 안에서 매 순간 하느님의 뜻을 발견하여, 그에 따라 살고자 하는 역동적인 노력과 그로 말미암은 변화와 성장이야말로 성령의 활동에 관한 식별의 본질입니다."

"두려움을 넘어서 진리를 증언할 수 있는 용기. 도저히 인간적으로는 용서할 수 없는 것들을 용서할 수 있는 힘은 성령의 부음을 받음으로써 가능해집니다. 내가 성령의 능력에 힘입어 지금 도저히 넘어설 수 없는 장벽을 뛰어넘을 수 있게 된다면, 그리고 결코 용서할 수 없었던 것을 용서하게 된다면, 바로 그것이 부활의 구체적인 표징이며, 내게 있어서 부활의 삶은 이미 시작된 것이라고 말할 수 있는 것입니다."

성령님은 느낌이나 메시지만으로 나타나신다고 생각했는데, 어둠에 빛을 비추어 주시는 '조명'의 은사로 어려움이나 상처에 긍정적인 의미를 부여할 수 있도록 하시어, 대상을 이해하고, 용서할 수 있게 도와주신다고 한다. 그동안 나의 작문은 어둠을 빛으로 해석하는 작업이었는데, 이 모든 것이 성령님의 은사라는 것을 알게 되었다. 나의 모든 사고 활동에 언제나 함께하신다는 것을 다시 한번 알게 되었다. 너무나 감사한 일이다.

"성령께서는 오해와 누명을 겪을 때마다 현세적인 개입으로 누명을 벗겨주지는 않습니다. 그러나 한 가지 확실한 것은, 그분께서 언젠가는 모든 진실을 밝혀주시고, 정의를 세워 주실 것이란 사실입니다. 성령께서는 이 세상 그 어느 누구도 따라올 수 없이 가장 훌륭하고 진실한 변호자이십니다. 때가 되면, 그분의 신비로운 작용에 의해서 나에 관한 오해도 풀릴 것이며, 내가 쓰고 있는 누명도 자연스럽게 벗겨질 것입니다. 우리에게 필요한 것은 성령에 대한 온전한 믿음과 위탁, 그리고 인내입니다."

이 말씀에 큰 위로가 되었다. 진실은 언젠가는 밝혀진다는 말이 있는데, 신학적으로 해석할 수 있는 내용이었던 것이다. 내가 비록 그동안 모든 오해와 거짓의 오해를 받아왔더라도, 성령의 힘으로 진실이 곧 드러나 정의를 세워주시리라는 것이다. 그래서 신앙을 좀 더 알고, 굳건히 하는 일이 나의 모든 구원책이라는 것이다.

"진정한 자신의 모습을 찾기 위해서는 과거와의 단절을 통해서 과거의 일에 대한 부질없는 아쉬움과 한스러움과 자책감으로부터 벗어나, 그 부정적 기억과 에너지를 오히려 창조적 에너지로 승화하는 작업이 필요합니다. 미래의 거짓된 허상 역시 과감히 떨쳐버리고서 현재에 발을 딛고 일어서는 것이 필요합니다. 그렇게 철저히 현재에 충실하게 살아가면서도, 동시에 아직 현실화되어 있지 않은 자신의 가능성을 계속 계발하여 새로운 미래를 열어갈 때, 비로소 자신의 진정한 정체성을 찾을 수 있게 될 것입니다."

이 부분은 현재 나에게 꼭 필요한 말씀이었다. 내가 미래를 어렵게 구상하고 계획하려고 하기보다, 현재에 충실하게 살아가는 것이 가장 중요하다는 것이다. 행복과 운명은 멀리에 있는 것이 아니라, 나에게 다가오는 모든 어려움과 가능성을 지나치지 않고, 감당하며 나아가는 것이 중요하다는 생각이 든다. 오늘은 미사 시간에 있었던 말씀 중에서 큰 울림을 주는 내용이 있었다.

"한 사람을 통하여 죄가 세상에 들어왔고, 죄를 통하여 죽음이 들어왔듯이, 또한 이렇게 모두 죄를 지었으므로 모든 사람에게 죽음이 미치게 되었습니다. 사실 그 한 사람의 범죄로 많은 사람이 죽었지만, 하느님의 은총과 예수 그리스도 한 사람의 은혜로운 선물은 많은 사람에게 충만히 내렸습니다. 그 한 사람의 범죄로 그 한 사람을 통하여 죽음이 지배하게 되었지만, 은총과 의로움의 선물을 충만히 받은 이들은 예수 그리스도 한 분을 통하여 생명을 누리며 지배할 것입니다. 그러므로 한 사람의 범죄로 모든 사람이 유죄 판결을 받았듯이, 한 사람의 의로운 행위로 모든 사람이 의롭게 되어 생명을 받습니다. 한 사람의 불순종으로 많은 이가 죄인이 되었듯이, 한 사람의 순종으로 많은 이가 의로운 사람이 될 것입니다. 그러나 죄가 많아진 그곳에 은총이 충만히 내렸습니다. 이는 죄가 죽음으로 지배한 것처럼, 은총이 우리 주 예수 그리스도를 통하여 영원한 생명을 가져다주는 의로움으로 지배하게 하려는 것입니다."(로마 5,12.15ㄴ.17-19.20ㄴ-21)

내가 하느님에 순종함으로써 모든 사람들을 의롭게 만들 수 있다는 것이다. 죄인을 의인의 역할로 만들어 줄 수 있으므로, 인류의 진정한 구원에 다가갈 수 있다는 가르침이다. 이 얼마나 놀라운 하느님의 역사인가. 나는 단순히 어떤 직업을 가져야 할지에 집중할 것이 아니라, 진정한 신앙으로 다가가 하느님에게 순종하는 것에 집중하는 것이 가장 중요한 것이 아닌가 하는 생각이 드는 것이다. 기도의 힘을 각성하는 것이 필요하다. 이번 달은 묵주기도 성월인데, 묵주기도에 익숙해져야 한다.

 몇 주 전만 해도 피부가 나빠서 큰 고민이었는데, 관심을 두고 알아보면서 여러 화장품을 사용해 시행착오를 겪었고, 피부가 점점 좋아지는 것 같아서 기분이 좋다. 그동안 나를 소홀히 해왔다는 점에서 자신에게 미안하지만, 이제부터라도 소중하게 대해주어야겠다. 나는 요즘 너무나 행복하다. 내 인생에 이런 빛이 쏟아질 것 같지 않았는데, 언제나 하느님이 나와 함께 하신다는 생각이 드니 더없이 행복하다. 매일매일 새로운 깨달음을 주셔서 너무 감사하다. 언제나 나의 문제와 함께하시며, 위로하시고, 알려주시는 하느님께 너무나 감사하다. 내가 바라는 것은 병원에 계신 부주임 신부님의 건강이 빠르게 회복되는 것이다. 그리고 내가 좀 더 사랑으로 충만하여, 그 사랑을 주변에 나누어 줄 수 있었으면 좋겠다. 돈과 권력이 생겨도 사랑이 없다면 행복하지 않을 것이다. 인생의 우선순위는 사랑이어야 한다. 돈과 권력이 좋은 것은 마음껏 사랑하며 순수하게 살아도 자신을 지킬 수 있고, 오해받거나 무시당하지 않기 때문이다. 남들을 도울 수 있기 때문이다. 이렇게 지혜를 주시는 하느님이 너무 좋다. 하느님이 적극적으로 나서주셔서 나는 더 믿음이 생긴다. 모든 것에 대해서 좀 더 알고 싶다.

"모든 전쟁을 멈추시오. 이것은 두 번째 명령입니다."

2023년 10월 26일

성경 말씀을 보다가 무리하지 말라는 내용이 눈에 들어왔다.

"너에게 너무 어려운 것을 찾지 말고, 네 힘에 부치는 것을 파고들지 마라. 너는 명령을 받은 일에만 전념하여라. 숨겨진 일은 너에게 필요한 것이 아니다. 네 일이 아닌 것에 간섭하지 마라. 네가 보는 그 일은 인간의 이해를 넘어서는 것이다." (집회 3, 21-23)

그동안 무리해서 문제에 파고들었던 순간도 있었지만, 이제는 부담을 내려놓을 때가 되었다고 알려주시는 것 같다. 좀 더 겸손하게 하느님과 함께하는 여정에 대한 믿음을 갖고, 명령에만 충실하라는 것이다. 세계 전쟁이 일어났다고 하더라도 내가 그 복잡한 역학 관계를 어떻게 알고, 바른길을 명령할 수 있겠나. 나는 단지, 인간들이 죽어가는 것이 마음 아팠을 뿐이다. 혼란스러운 세계가 걱정스러웠을 뿐이다. 전쟁이 끝나기를 바라는 마음은 있지만, 무엇이 더 큰 선을 위한 길인지에 대해서는 잘 모른다. 내가 해결사가 되기 위해서 어려운 일에 몰두하기보다는, 나에게 주어진 일에만 충실하면 될 것이다. 나는 평화를 바라고, 인류의 행복을 바랄 뿐이다.

어제는 미사 시간에 울림이 있는 말씀이 있었다. 하느님이 많이 주신 사람에게는 많이 요구하시고, 많이 맡기신 사람에게는 그만큼 더 청구하신다는 것이다. 재능이나 능력을 많이 타고난 사람은 그만큼 사회적 책무도 크다는 말씀이다. 그래서 나의 재능을 기뻐하는 동시에, 나에게 주어진 책무에 대해서도 마땅히 받아들여야 할 것이다. 그렇다면, 과중한 책임으로 인한 어려움에 대해서도 당연하게 받아들일 수 있다. 그것이 성장으로 가는 길이다.

입헌군주제는 왕이 헌법에서 허락하는 제한된 권력을 행사하는 것인데, 나의 경우는 내 마음이 권력이 아닌가. 그렇다면 내가 법을 따르고자 하여도 내 마음이 싫다면, 그 대상에게 해가 가해지는 것이 아닌가. 하지만 그것은 드러나는 힘이 아니기 때문에 책임을 물을 소지는 없다. 글쓰기에서는 표현되기 때문에 책임을 물을 수 있는가. 나의 힘이란, 법으로 제한할 수 있는 성격이 아니라는 데에 일반적인 입헌군주제와 차이가 있다. 하지만, 내가 발동하는 힘의 근원은 몸의 길을 따라 진리를 실현하는 데에 있기에, 세상을 해롭고 어지럽힐 수는 없다는 것이다. 덕이 시작되어 실현되는 초기 국가에서는 더욱 공동선을 향한 지향을 가질 수 있는 것이다. 나의 독단적 결정의 정치적 권력은 아무도 해결하지 못하는 문제를 해결하는 데에 초점을 갖고 있다. 나는 부담을 가질 이유가 없다. 그런 문제를 민주적으로 해결하자고 말해보라. 절대로 문제를 해결할 수 없을 것이다. 여기서 핵심은 지도자가 문제를 해결한 후에도 같은 방식을 정치에 적용하게 된다면, 민주주의를 주장하는 사람들에게 위협이 될 수 있는 것이다. 현재 대통령에게 너무 많은 권한이 주어진 것은 강대국이 좌지우지하는 정치 환경이기 때문이다. 강대국의 말을 잘 듣는 대통령으로 효율적으로 역할 하기 위해서는 특정인에게 힘이 모여야 하고, 많은 권한을 가져야 한다. 대통령이 독립적이지 않은데, 권한이 많다고 해서 힘을 가진 것은 아니다. 그래서 진정한 독립의 길로 가야 권력의 분산이 가능해져, 진정한 민주주의를 달성할 수 있는 것이다.

천주교에서는 하느님 나라의 백성과 종을 노래하기 때문에, 하느님의 역할을 하는 지도자의 강력한 권력을 지향하고, 민주주의를 주장하는 정치세력인 한국의희망의 경우에는 지도자의 권력을 줄이려고 하는 것 같다. 한쪽은 더욱 하늘과 연결되라고 하고, 한쪽은 고집을 부리지 말라고 하는 느낌이다. 세계 평화의 관점에서 본다면, 천주교의 방식이 더 큰 선을 행하는 방식이고, 나에게 맞는 진리의 방식이다. 왕이나 교황의 역할을 하면, 국가 지도자의 역할도 포괄할 수 있고 새로운 질서에도 좋은데, 국가 대통령의 역할에만 맞추면 세계를 바라보는 교황의 역할을 할 수가 없다. 그래서 더 큰 통합을 위한 영적 성취에 집중하는 것이 좋다고 한 것이구나. 진정한 자유란, 죽음을 극복하여 하느님 나라의 백성이자 종이 되는 것인데, 신앙이 없는 사람들은 '종'이라는 말에서 자유가 없는 노예적 삶을 떠올릴 것이다. 국민들에게 어떤 자유를 줄 것인가. 일반적인 자유의 개념을 포괄하는, 좀 더 적극적이고, 진정한 자유의 길로 인도하는 것이 나의 소명일 것이다.

성경 말씀에서 경건한 이에게 잘 대하면, 그에게 보상받지 못하더라도 하느님에게 은총을 받는다는 말씀을 보았다. 그래서 성당에 자주 나가는 나에게 사람들이 잘 대해주려고 하는 것 같다. 사람들에게 받은 것에 대해서 부담을 느낄 필요가 없다는 생각이 든다. 선거를 통해서 권력을 쟁취하고, 사람들을 부리는 국가 지도자의 길이라면, 이미지 관리와 사람들과의 관계에 더욱 부담을 느낄 수 있지만, 지혜로써 진리를 밝혀내고, 사랑과 인류애를 실천하는 것만으로 할 일을 다하는 것이라는 생각이 든다. 내가 가진 힘의 근원은 하느님이 주시는 '지혜'에 있지 않은가. 지혜를 위해서는 삶의 여백이 필요하고, 하느님과 잘 소통할 수 있도록 성당에 열심히 다니면서 맑은 몸과 정신을 가꾸어 나가야 할 것이다.

2023년 10월 27일

 요즘은 매일 미사 후, 도서관에서 공부하고, 저녁에 시간 전례에 참여하고 있다. 성당에서 시간을 많이 보낼수록, 내면에 기쁨이 차오르는 것 같다. 미사를 보러 가면 항상 같은 자리에 앉는데, 내 옆에 항상 앉는 자매님이 계셔서 최근 가까워졌다. 오래전부터 성당에 다니셨고, 영성이 깊어 기도 생활도 오래 하신 분이었다. 나에게 기도의 신비와 신앙생활에 대해서 조언을 해주셨다. 오늘은 그분이 미사가 끝난 후, 짜장면과 깐풍기를 사주셨다. 최근 기도를 하였는데, 성모님이 나를 예뻐하시고, 나의 신앙이 단단해질 때까지 도움을 주라고 하셨다고 한다. 신앙이 깊고, 기도를 오래 하신 분은 성모님과 직접 소통을 하면서 인생을 잘 살아간다는 것을 알게 되었다. 외부에서 시간을 많이 보내면 참 행복하지만, 식사비가 많이 들어서 비용이 부담되었던 것이다. 그래서 집에서 한 끼를 먹고, 떡볶이나 순대, 김밥으로 하루에 한 끼 정도에만 돈을 쓰자고 마음먹었다. 하지만, 최근 본 성경 말씀에서는 자신에게 인색해서는 안 된다고 하였고, 그리스도인으로서 하느님이 함께하시는 몸인데, 영양이 부족한 것을 자주 먹으면 안 되는 것이 아닌가 하고 생각했던 것이다. 하느님이 그런 나의 처지를 보시고, 자매님을 보내주신 것이 아닌가 하는 생각도 든다. 성당과 가까이할수록 신앙의 신비를 경험하고 있다. '하느님, ㅇㅇㅇ해주셨으면 좋겠습니다.' 하고 간구하면 들어주신다는 것이다. 하느님은 아버지이기 때문이라고 하신다. 그런 당연한 믿음을 갖게 된다면, 인생이 고속도로를 타는 것과 같이 펼쳐진다고 말씀하신다. 나는 비염 때문에 하느님이 나에게 벌을 주신다는 생각에, 부모님처럼 나를 도우신다는 생각을 못 했는데, 그런 처벌은 성당에 계신 하느님에게로 이끌어내기 위한 것이 아니었겠나. 이제 성당에서 하느님과 함께하고, 하느님을 증명하는 소명을 다하며 살아간다면, 오히려 더 도와주시지 않겠나. 그것이 평범한 길이 아니고, 하느님 아버지의 영광을 밝히는 일이라면, 하느님이 가장 원하시는 길이라면 더 그렇지 않겠나. 나는 이 글을 쓰면서 눈물이 난다. 이런 일이 나에게 벌어지다니. 하느님 감사합니다.

오늘은 한국의희망 정치학교 교장 선생님인 최연혁 교수님의 '민주주의가 왜 좋을까?'라는 책을 다 읽었다. 청소년들을 위해서 핵심적으로 쉽게 풀어낸 책이었는데, 그래서 오히려 깊이가 있고, 좋은 책이었던 것 같다. 정당의 구조에서 양당제보다는 다당제가 적대적이지 않을 수 있고, 국민들의 정치 참여를 이끌어내어 진정한 민주주의에 더욱 다가간다는 것을 알게 되었다. 또한, 과거에 이탈리아 북부에는 교황청이 있어 가톨릭 신자가 많았고, 국민들이 믿음으로 봉사나 단체생활을 많이 하여 정치 참여나 민주주의가 잘 형성된 데 반해, 남부에는 그렇지 않아 정부에 대한 불신이 커서 마피아 조직까지 생겨났다는 것이다.[4] 그래서 신뢰라는 사회적 자본이 민주주의에 얼마나 중요한 것인지를 알게 되었다. 그런 의미에서 믿음의 길을 향하는 나의 발걸음은 얼마나 숭고한 것인가. 이런 길을 열어주신 하느님에게 너무나 감사하다. 내일은 다시 한번 종합적으로 읽어보면서 중요한 부분을 메모해야겠다.

2023년 10월 30일

최근 나에게 일어났던 어려움에 대해서 작은 통찰을 얻었다. 저마다 다양한 거리를 유지할 수 있다면, 아무도 적대하지 않고 인간관계를 유지할 수 있다는 것이다. 최근 나에게 호감을 갖고 다가오는 사람이 종종 생겼는데, 그들과 모두 친해지려고 한다면, 나의 시간을 지켜갈 수 없을 것이라는 생각이 들었다. 특히, 나와 너무 다른 사람이라면, 거리가 가까워져 솔직해지는 것만으로 쉽게 적이 될 수 있고, 서로 상처를 받을 수 있다는 것을 알게 되었다. 아무도 눈치 보거나 죄책감을 느끼지 않고, 행복하게 살아가기 위해서는 일정한 거리를 유지해야 한다는 것을 알았다. 성당에서 만나는 사람이라고 하여, 모든 사람들을 종교적 사랑의 정신으로 수용하고 친하게 지내야 하는 것은 아니다. 나의 활동과 창조 작업을 위해서라면, 나의 행복을 위해서라면 사색할 수 있는 자기 시간과 기를

---

[4] 최연혁, "민주주의가 왜 좋을까?", 나무를 심는 사람들, 2019, p.130, 146-147

지켜가는 것이 중요하기 때문이다. 내가 카페 봉사활동을 하면서 심리적 어려움을 겪었던 이유를 알게 되었다. 너무 가까운 거리가 문제였던 것이다. 나와 다르고 친해지기 어려운 사람들에게 함부로 나의 이야기를 하지 않는 성격인데, 부대끼며 일하다 보면 서로에 대해 말하게 되고, 거리가 너무 가까워서 심리적으로 힘들었던 것 같다. 이렇게 봉사활동을 정리하고 일정한 거리를 유지하고 나니, 모든 사람들에게 다시 잘 대해주고 싶은 사랑의 마음이 다시 샘솟지 않던가. 나에게는 일정한 거리와 폐쇄성을 확보하여 건강한 관계를 이루고, 정보를 잘 관리하고 싶었던 것이다. 나라는 사람 자체가 평범하지 않은 면을 갖고 있으니, 함부로 사람들과 친해지기는 어렵다는 생각이 들었다. 다르다는 것으로 인한 편견으로 쉽게 상처받을 수 있기 때문이다. 사람들은 다른 대상에 대해서 호의적이지 않기 때문이다. 이렇게 홀로 지내는 시간이 소중하고, 그런 공간의 확보를 통해서 더욱 사랑할 수 있어서 다행이다. 이렇게 모든 상황에 대해서 반성하고, '내 탓이오'를 할 수 있는 나는 진정으로 신앙에 다가서는 것 같다. 앞으로는 봉사활동을 하더라도, 협업하지 않고 독립적으로 적당한 거리를 유지할 수 있는 활동을 해야 할 것 같다.

2023년 11월 3일

　최근 내 책이 잘 안 팔리는 이유에 대해 깨달은 점이 있다. 사람들이 어떤 대상을 매력적으로 보는 이유는, 많이 가졌는데 비밀스럽고 신비한 것일 때 그렇다고 한다. 그렇다면 사람들은 나에 대해서 이미 큰 환상과 매력을 느끼고 있을 것이다. 하지만, 출판사의 검열을 거치지 않은 날것 그대로의 일기책을 보는 것은 용기가 필요한 일이다. 책을 봄으로 인해서, 유일한 희망이라고 생각했던 대상을 미워하거나 실망하게 된다면 얼마나 힘들 것인가. 나에 대한 환상은 지켜져야 하므로, 그들이 바람을 현실에서 이루어 냈을 때라야 안심하고 볼 수 있을 것 같다. 현재로서는 그 가능성이 너무 소중하고, 간절하기 때문이다. 어둠 속에서 고개를 든 빛을 지키고 싶은 마음에서 거리를 두는 것일 수 있겠다는 생각이 든다. 책의 제목, 브랜드 이름도 'Strange Beauty'가 아닌가. 신비해야 아름다운 것이다. 하지만, 일기책을 들여다보더라도 신비함을 느낄 수 있을 것이다. 왜냐하면, 하느님의 섭리와 신비가 나타나 있기 때문이다. 이렇게 책이 잘 안 팔리는 이유를 나름대로 해석해 보았다.

　최근 빅데이터 전문가가 쓴 미래 전망 책을 읽고 있는데, 몰랐던 시대 변화를 알게 되어서 너무나 기분이 좋다. 내가 세상을 살아가는 데 좀 더 자신감을 가질 수 있을 것 같다. 딱딱한 업무들은 인공지능이 주로 해내기 때문에, 인간들은 좀 더 인간적이고 도덕적인 품성으로 서로를 보듬는 데에 역할을 하면 될 것 같다. 인간성을 계발하는 것이 경쟁력이 될 것이다. 모든 것이 평화로운 하느님 나라와 같은 방향으로 나아가는 것 같아서 기분이 좋다. 개인의 독립성과 주체성이 강해진 핵 개인의 시대에는 질서는 강력하게 잡아주되, 군림하려고 하지 않는 지도자가 필요할 것이라고 한다.

2023년 11월 4일

 요즘은 기도의 중요성에 대해서 생각해 본다. 기도는 지속적으로 해야 하고, 자주 해야 한다. 게으르게 멍한 시간을 충분히 가져서 기도를 습관화해야겠다. 아직도 내 마음속에는 기도를 하찮게 여기려는 마음이 솟아오른다. 지금까지 내가 적응해 온 세상은 '한심하게 기도만 하지 말고, 직접 행동하고 뛰어라.'라는 메시지를 많이 주입해 왔다. 그렇게 기도라는 것은 나약한 사람들이 신에게 기대기 위해서 하는 것이라고 은연중에 주입해 온 것이다. 나는 생존을 위해서 이 사회에서 잘 적응하기 위해서 노력해 왔고, 기도의 효과가 크지 않다고 여기면서 살아온 것이다. 단지, 작문을 통해서 기도하자고 생각은 했다. 최근 내 옆자리에 항상 앉아 계시던 자매님과 자주 교류하면서 영향을 받고 있다. 그분은 기도를 하고, 원하는 것을 얻는 생활에 익숙한 분이어서 큰 자극이 되었다. 내가 모르는 신세계가 열리는 느낌이었다. 신심이 깊고, 기도의 수행을 많이 해 온 사람은 직접 대화로 물어보지 않아도, 내면과의 소통을 통해서 상대에 대한 많은 정보를 얻을 수 있는 것 같았다. 성당의 신부님이나 수녀님을 비롯한 영적 지도자들도 기도를 통해서 많은 정보를 얻을 수 있겠구나. 내가 직접 표현하지 않아도 생각하는 것도 다 알 수 있겠구나 하는 생각이 들었다. 그래서 말이나 행동뿐만 아니라, 생각까지도 조심해야 하는 삶을 살아가게 된 것이다. 나 역시 내면의 인도와 안내가 있다. 다만, 그 메시지에 많이 의존하지 않으려는 차이가 있겠다. 아직도 한때 물리쳐야 했던 환청의 기억으로부터 자유롭지 못한 것 같다. 기도를 습관화한다면, 더욱 안정적으로 내면의 메시지를 신뢰할 수 있을 것이고, 나 역시 그들처럼 영적 능력을 더욱 발휘할 수 있을 것이다. 기도가 이루어지지 않을 때는 하느님의 더 좋은 계획이 있으시다는 것을 명심해야 한다. 그래야 기도에 대한 믿음을 가질 수 있다. 그렇구나. 현재 나에게는 기도가 중요하구나. 믿음의 길에 들어섰고, 성당에 더욱 열심히 다니고 있고, 성경책도 더 읽어봐야 하는 시기이다.

오늘 새벽에 확인한 매일 미사 책의 독서 문구가 너무도 마음에 들어 적어본다. 하느님이 이끄시는 새로운 계약에 대한 내용이다.

"형제 여러분, 하느님께서 당신의 백성을 물리치신 것입니까? 결코 그렇지 않습니다. 나 자신도 이스라엘 사람입니다. 아브라함의 후손으로서 벤야민 지파 사람입니다. 하느님께서는 미리 뽑으신 당신의 백성을 물리치지 않으셨습니다. 그러면 내가 묻습니다. 그들은 걸려 비틀거리다가 끝내 쓰러지고 말았습니까? 결코 그렇지 않습니다. 오히려 그들의 잘못으로 다른 민족들이 구원을 받게 되었고, 그래서 그들이 다른 민족들을 시기하게 되었습니다. 그런데 그들의 잘못으로 세상이 풍요로워졌다면, 그들의 실패로 다른 민족들이 풍요로워졌다면, 그들이 모두 믿게 될 때에는 얼마나 더 풍요롭겠습니까? 형제 여러분, 나는 여러분이 이 신비를 알아, 스스로 슬기롭다고 여기는 일이 없기를 바랍니다. 그 신비는 이렇습니다. 이스라엘의 일부가 마음이 완고해진 상태는 다른 민족들의 수가 다 찰 때까지 이어지고, 그다음에는 온 이스라엘이 구원을 받게 되리라는 것입니다. 이는 성경에 기록된 그대로입니다. "시온에서 구원자가 오시어 야곱에게서 불경함을 치우시리라. 이것이 내가 그들의 죄를 없앨 때 그들과 맺어 줄 나의 계약이다." 그들은 복음의 관점에서 보면 여러분이 잘되라고 하느님의 원수가 되었지만, 선택의 관점에서 보면 조상들 덕분에 여전히 하느님께 사랑을 받는 이들입니다. 하느님의 은사와 소명은 철회될 수 없는 것이기 때문입니다."
(로마서 11,1ㄴ-2ㄱ.11-12.25-29)

현재 이스라엘과 하마스가 전쟁을 하고 있는데, 전 세계에 팔레스타인 사람들을 탄압하는 이스라엘에 대한 반대 시위가 거세다고 한다. 위의 말씀에서 다른 민족들의 수가 다 찰 때까지 이스라엘 일부 사람들의 완고한 마음이 이어진다는 내용이 있는데, 수가 찬다는 것은 기독교 신자들이 늘어남을 말하는 것일까. 희생 제물로 죽는 것을 말하는 것일까. 기독교 신자들이 늘어나기 위해서는 내가 하느님에 대해서 더 탐구하여 믿음을 강화해야 하고, 희생 제물을 말하는 것이라면 시간이 걸릴 것이다. 내가 현재 구원을 위해 할 수 있는 것은 성당의 활동에 집중하면서 경험하고 깨우쳐 가는 것이다.

2023년 11월 6일

내가 깨닫는 만큼 세계인들도 깨닫게 된다. 이스라엘과 팔레스타인의 독립단체 하마스의 전쟁은 유태인들이 시온에 이스라엘 국가를 세워 장악하려는 움직임 때문에 벌어졌고, 오래전부터 지속된 영토 전쟁의 연장이다. 여기서 시온은 무엇인가. 팔레스타인 지역 예루살렘의 시온산 부근을 말하는 것인가? 현재까지 내가 접한 성경책을 미루어 생각해 보면, 시온은 새로운 예루살렘이고, 이 시대의 어린 양이 등장한 대한민국을 말하는 것이 아닌가. 시온은 하느님의 거처가 있는 곳이라고 한다. 대한민국이 시온이 될 수 있는 이유는 특별한 기적 체험으로 가장 강력한 믿음을 가지게 될 존재가 있는 곳이기 때문일 것이다. 믿음은 모든 것을 가능하게 하기 때문이다.

'정녕 주님께서는 시온을 선택하시고 당신 처소로 원하셨네. "이는 길이길이 내 안식처 내가 이를 원하였으니 나 여기에서 지내리라. 그 양식에 내가 풍성히 복을 내려, 그 불쌍한 이들을 빵으로 배불리리라."' (시편 132,13-15)

팔레스타인의 시온은 오랫동안 유대인의 전유물이었다고 한다. 하느님께서는 모든 사람이 구원에 이르기를 원하시는데, (티모테오전서 2,4) 그런 하느님께서 하느님의 거처이자, 인류의 피난처라고 하기에는 의구심만 남기는, 지극히 제한적인 공간에서 구원의 역사를 베푸실 리 만무하다는 기사를 보았다. 기사에 따르면, 구약시대 선지자들의 예언 속에 등장하는 시온에 관한 정보는 팔레스타인의 시온과는 차이가 있다고 한다. 미가 선지자는 마지막 때에 수많은 이방의 민족들이 시온으로 몰려갈 것이고, 하느님께서 백성들을 진리의 도로 가르치실 것이며, 시온에서 가르침이 나올 것이라고 예언했다(미카 4,1-2)고 한다.

"너는 시온을 바라보아라. 우리 축제의 도시를. 네 눈은 예루살렘을 보리라. 안전한 거처, 거두어지지 않는 천막, 말뚝이 다시는 뽑히지 않고 줄이 하나도 끊기지 않는 천막을 보리라. 거기에서 주님께서는 우리에게 엄위하신 분이 되시리라. 그곳은 넓은 강과 시내들이 흐르는 곳이 되리라. 그러나 노 젓는 큰 배는 그리로 가지 못하고 위풍을 뽐내는 배는 지나지 못하리라. 정녕 주님은 우리의 통치자, 주님은 우리의 지도자, 주님은 우리의 임금님, 그분께서 우리를 구원하시리라." (이사야서 33, 20-22)

그렇다면, 유대인들이 예루살렘 땅의 복원과 완전한 장악을 시온주의에 근거하여 주장할 수 있는가? 나는 어렵다고 본다. 시온은 팔레스타인의 한 지역이 아니라, 새 예루살렘인 대한민국을 말하기 때문이다. 하느님이 나를 여기까지 인도하신 것은 내가 깨닫게 하여 세상 모든 사람들의 의식에 영향을 주기 위함일 것이다. 그러므로 하느님이 원하시는 대로 이스라엘과 하마스의 전쟁이 평화적으로 마무리되었으면 좋겠다.

"마지막으로 명령합니다. 전쟁을 멈추십시오."

이로써 이스라엘 사람들도 구원받았으면 좋겠다. 하느님, 감사합니다.

진정한 민주주의를 주장하는 새로운 세력들과 나의 공존은 적절하다고 본다. 어떤 힘이든 견제와 균형을 이루어야 한다. 나는 하늘과 인간들을 연결하고, 화해시키는 존재가 아니던가. 그들이 나의 존재를 외면하고 부정하려는 발언을 하는 것을 보고 기분이 상한 적도 있었지만, 그들은 인간들을 대표하고 대변해야 하는 입장인 것이다. 기분이 상할 때마다 국민들이 원하는 것이 무엇일지를 이성적으로 생각해 보라. 그들이 없다면 국민들은 목소리를 내기 어렵다. 하늘과 연결되어 강한 권위를 갖고 있는 나는 필연적으로 그들과 대척점에 서는 것이다. 나는 하느님이 역사하는 강력한 행위의 대리자 역할을 하는 것이고, 그들은 자신들이 원하는 것을 주장할 권리가 있다. 나는 어디까지나 중재자이고, 그들의 바람을 들어주는 것이지, 모두가 생각 없이 나를 따르려고 하고 추종하려고 한다면, 인간도 주인인 세상이 아니게 되는 것이다. 다음 시대는 신과 인간의 소통이 원활하여 모두가 주인 되는 세상이 아니던가. 그들의 정체성과 비전을 존중해야 한다. 그들의 뜻이 나와 다른 지향을 갖는다면 오히려 기뻐해야 한다. 각자의 소명과 역할에 충실한 것일 뿐, 균형의 관점에서 더욱 도움이 되기 때문이다. 신권과 인권 중, 한 극단이 너무 비대해지면 오래 지속할 수 없으니, 적절한 견제와 균형을 통해서 어렵게 이룩한 이상적인 구조를 지속할 수 있어야 하는 것이다. 그나저나 하느님이 역사하시는 시온에 엄청난 행복이 온다는데… 다들 준비는 되었을까.

거룩한 정신

2023년 11월 8일

 반복적이고 특별한 느낌이 있었다. 한 달 전부터 성당의 소성전에 저녁에 가서 시간 전례 기도를 하는데, 글을 읽으면서 노래를 부를 때마다 정신이 거룩하고, 진중하며 무거워지는 느낌을 받았다. 대성전에서 미사를 볼 때는 그렇지 않은 것 같은데, 시간 전례를 할 때에는 왜 그런 느낌을 강하게 받는 것일까. 무언가 진리에 가까워지는 정신을 느끼곤 한다. 신비하다. 매일 미사에 나갈수록 하느님에 대한 믿음이 강해지는 이유는 여러 가지가 있지만, 무엇보다 미사 때 하는 독서와 말씀에서 나타난 메시지가 나의 상황을 다 알고 조언하는 것 같은 느낌을 자주 받는다는 것이다. 그래서 마치 하느님이 살아계시고, 인간들을 통해서 조언한다는 생각이 드는 것이다.

내 옆에 앉아 계신 자매님의 믿음이 강하셔서 영향을 받는 것 같기도 하고, 성체성사를 할수록 가슴이 뻥 뚫리고 행복해지는 느낌이다. 전에는 주일에만 나갔던 미사를 매일 나가니, 더 빠른 속도로 마음을 치유하며 예수님을 닮아가는 것 같다. 세상에 가짜 정보가 많기 때문에, 지나친 의심의 환경에서 스마트폰과 유튜브에 익숙한 사람들이 진정한 하느님에 대한 믿음과 영적 치유를 통하여 건강하게 거듭났으면 좋겠다.

 최근 꿈에서 양향자 국회의원이 나에게 최고 수준의 업무적 역할을 부여하고, 인정하는 꿈을 꾸었다. 이것을 해석해 보자면, 그들의 지향이 부분적으로 나와 다르다고 해서 같은 꿈을 꾸는 동지가 아니라고 생각해서는 안 된다는 의미 같다. 스스로 자신감이 떨어질 때마다 과거의 행적들을 잊지 말고, 큰 그림을 볼 줄 알아야 한다. 내가 성취에 대해서 인정받지 못하고 불쌍해질수록, 국민들의 지지는 동정심으로 높아질 수 있기 때문에, 그들이 그런 활동을 하는 것 같기도 하다. 정치라는 것은 지식과 정보가 많은 엘리트들만을 위주로 발언하고 활동하는 것이 아니라, 모든 계층의 대중들을 아우르는 발언과 행동을 하기 때문에, 내가 괴로워지고 억울해질수록, 우리 국민들은 나에게 공감하고 감정을 이입하며 불쌍하게 보고 지지해 줄 것 같다. 나는 하늘의 권능을 타고났지만, 일반 국민들처럼 어려움이 있고, 고생을 하고, 무시당하거나 외면도 당한다면, 더욱 나를 친근하게 바라보며 친구처럼 가깝게 여길 것 같기도 하다. 그들이 그것을 의도하지 않았다면, 하느님이 그런 의도를 갖고 인간들을 조종하시는 것 같다.

 내년 한 해의 계획을 세워 보고자 운세에 대한 정보를 얻고 있다. 정리를 해보면, 기해년부터 준비한 것들이 갑진년에는 수면 위로 드러난다는 것이다. 나는 기해년에 '스트레인지 뷰티 (Strange Beauty)' 책을 정식 출간했고, 그때부터 큰 꿈을 갖고 인류 구원과 세계평화를 위해 '건너가기'를 하고 있다. 갑진년에는 시대적으로 아주 큰 변화가 예상된다고 하는데, 그 변화는 향후 60년을 간다는 것이다. 그동안 축적한 아이디어를 알리고 구체화하는 시기가 된다고 한다. 예전에는 한 해 운세를 구상할 때 불안감도 가졌지만, 이제는 모든 순간에 하느님이 함께하시고, 나를 지켜주신다는 생각이 드니 행복한 마음이 든다. 불완전한 정보에 점점 믿음을 채워주시는 것도 하느님이고, 느닷없이 느낌과 힌트를 주시는 것도 하느님이시다. 하느님에게 참 감사하다. 얼굴에서 점점 빛이 나는 것 같다.

2023년 11월 10일

 그저께는 저녁에 소성전에서 시간 전례에 참여했는데, 정신이 너무 무겁고 거룩해져서 불안해질 정도였다. 빨리 기도가 끝나기만을 바랐고, 기도 시간이 끝나자 도망치듯이 뛰쳐나왔다. 다음날 병원 예약을 잡고 어제 다녀왔는데, 선생님께서는 정신적 활동이 너무 과한 데 비해 하체의 골반 부분이 약해서 그렇다고 말씀하셨다. 그날 우엉차를 진하게 한 잔 마신 바도 있었고, 카페인이 함유된 홍차 라테도 먹었다. 그리고 오전 미사를 다녀와서, 오후에는 도서관에서 독서하고 글 쓰느라 정신적으로 휴식이 필요한 상태였지만, 원래 가던 기도라서 무리해서 갔다가 불안감과 두려움을 느꼈던 것이다. 미사와 기도는 정신을 점점 거룩하게 만들 수 있다고 하는데, 현재의 하체 건강 상태로는 감당하기 힘들 것이라는 결론을 내렸다. 그래서 시간 전례는 가지 않고, 매일 가던 미사도 줄이기로 했다. 그 대신 스트레칭과 운동, 명상 시간을 늘리고, 아무 걱정 없이 행복하게 지내기로 했다.

 전에 하느님의 존재가 가깝지 않을 때는 내가 홀로 하느님의 역할을 하고자 부담을 느끼기도 했고, 하느님에 대적하기도 했지만, 하느님이 모든 것을 다루고 계시지 않은가. 내가 기도하고 역할 하지 않는다고 해서 세상에 갑자기 위기가 오는 것은 아니지 않은가. 하느님은 나에게 평화의 시기를 약속하지 않으셨던가. 그렇다면, 평화로 가는 어떤 여정을 계획하고 계시지 않겠나. 나는 하느님을 믿기로 하고, 나의 활동에 홀로 너무 책임을 갖지 않기로 했다. 특별한 의도가 있을 때 하느님께 기도하기로 했다. 모든 것은 약속에 따라 평화로 가고 있을 것이기 때문이다.

최근에는 미움의 감정이 살아나서 그 마음을 다스리느라 힘이 들었다. 하지만, 미움의 감정을 느끼게 했던 대상들은 나에게 잘해준 것도 있지 않은가. 부분 속에 갇혀서 전체를 보지 못하면 안 된다. 나는 인간에게 복종하지 않고, 하느님에게 복종하기로 결정하면서 어려움이 생겼다. 한국의희망에서는 교육받지 않고 준비되지 않은 정치인이 나라를 망친다면서, 정치학교를 통해 배출된 정치 지도자만이 역할 할 수 있다고 했다. 정치학교에서 토론하며 피 흘리기 싫어하는 나에게 그것은 어려움이다. 그것은 내가 한국의희망에서 정치 지도자가 되는 길은 막혔다고 볼 수 있는 것이다. 이전에도 결론 내렸듯이, 나는 실무적인 많은 업무들을 감당할 수 없으며, 종교 지도자의 모습에 더 가깝기 때문이다. 하늘과 소통하는 왕권을 지향하는 나에게서 탄생한 비전을 외면하고, 권력을 빼앗아 간다는 생각이 들어 거리를 두려고 했다. 내가 있는 모습 그대로 영적으로 성장하고 힘이 더욱 생긴다면, 혼자서도 많은 업적을 이룰 수 있어 그들이 경계할 것이라는 생각을 하자, 그들이 나와 같은 비전을 갖고 있는 사람들인지에 대해서도 의구심이 든다. 이미 다른 정치관을 갖고 있다는 것을 확인하지 않았는가. 그렇다. 나는 그들을 잘 모른다. 아니, 모르고 싶어 하는지 모른다. 나는 어떻게든 세상에 국민들을 위한 새로운 질서를 가져오고 싶은데, 나의 리더십이 부족한 탓인지, 그들이 호응하고 따라오지 않는 것 같다. 그들과의 관계에 믿음이 약해져 갈 무렵, 네이버 인물정보에 등재되어 있던 '믿음의 길' 도서 목록이 삭제되어 있었다. 이것은 무엇을 말하는 것인가. 내가 그들과 함께하지 않을 것이라면, 총선을 앞두고 국민들에게 혼란스러운 정보를 주지 말라는 것인가. 일단, 네이버에 문의한 상태이다. 단순한 오류인지, 아니면 정치적인 의도가 있는 것인지 모르겠지만, 내가 피를 흘려 만들어 낸 책이 삭제되어 기분이 좋지 않다. 나는 자유를 원한다. 나의 자유를 가로막고, 훼손하는 자들은 나의 적이다. 이미 믿음의 길에서 그들에 대한 믿음의 가능성을 보였기 때문에, 같은 방향으로 나의 뜻을 실현해 내는 것이 가장 좋을 것이다. 하지만, 그들은 대기업에 종속되어 의지를 대변하는 성격도 있어 보인다. 세계를 위해서 피를 흘려내며 작성해 온 기록들에 미안한 마음이 들지 않도록, 나는 스스로 독립성을 지켜가야 한다는 생각이다. 설사, 그 길의 끝에 가난한 작가의 길이 마련된다고 하더라도, 내 영혼이 행복한 방향으로 걸어갈 것이다.

국민들이 원하는 것을 들어주는 것이 민주주의라고? 다수의 국민들은 내가 원하는 것을 좋아한다. 표현하기 조심스럽지만, 나는 시대를 이끄는 정신이기 때문이다. 그렇다면, 내가 원하는 것을 구상하고, 홀로 실현해 내는 것이 민주주의가 아니고 무엇인가 하고 묻고 싶다. 나도 국민의 한 사람이 아닌가. 민주주의에서는 힘을 가진 자가 권력을 갖는 것을 허락한다. 그래서 나의 힘을 정당하게 행사할 것이다.

2023년 11월 11일

최근 읽기 시작했던, 미래를 전망하는 책을 다 읽었다. 좋은 내용들이 많았는데, 그중에 나의 화두와 관련하여 기억나는 것은, 다른 출구나 대안이 없는 사람은 존중받기 어렵다는 것이다. 내가 '믿음의 길'이라는 책을 통해서 나의 방향성을 밝혔고, 그 방향으로 나아갈 수밖에 없는 입장이라고 그들이 판단한 것 같다. 하지만 나의 길은 언제나 시행착오의 과정이다. 잘못 든 길도 의미가 깊다. 무언가를 깨닫게 해주기 때문이다. 나는 나의 발걸음이 언제나 진리를 향한다고 생각하지 않는다. 나의 힘이 커지는 것을 경계하는 이들이라면, 그들이 나와 같은 편이라고 할 수 있을까. 내가 교육을 통하지 않고도 훌륭하게 역할 하는 것을 그들이 원할까. 그들의 권력을 위해서 나는 홀로 너무 빠르게 성장해서는 안 되는 것인가.

이런 문제는 간단하지 않다. 나처럼 목숨을 건 소명을 짊어지고 있지 않고서야, 그렇게 충격적이고 궁극적인 새로운 질서를 옹호하는 것이 위험할 수 있다. 나는 정치학교에 들어가지 않을 것이다. 나와 맞지 않는다는 결론이다. 내 일자리를 위해서 내 마음이 상하는 행동을 하지는 않을 것이다. 그런 길은 영혼이 행복한 길이 아니다. 나는 그저 하느님의 존재를 증명하여 새로운 질서를 가져오는 것이 목표이다. 하느님의 존재를 거부할 것이라면, 나의 활동은 의미가 없다. 내가 할 수 있는 일에 집중해야 한다. 하느님의 존재를 증명하는 일은 아무나 할 수 없는 일이다. 나는 하느님과 더욱 가까워져 국민들을 지켜줄 것이다. 정치라는 것은 국민들의 수준과 함께 간다. 시간이 필요할 수는 있겠지만, 언젠가 당신들이 나를 필요로 하는 순간이 올 것이다. 언젠가 각성하게 된다면, 하느님에 대한 감사를 표하지 않을 수 없을 것이다.

2023년 11월 15일

 주일에 하는 성금 액수를 늘리겠습니다. 부디 가정에 행복한 소식을 전해주소서. 그리고 하느님을 두려워하며 살아가겠습니다. 인간들을 두려워하며 살아가겠습니다. 가정에 평화를 주소서. 내면의 명령에 따라 주일에 하는 성금 액수를 늘리기로 했다.

내가 최고이고, 내가 다 해낼 수 있다는 생각이 큰 성취에 원동력이 되기도 하지만, 한편으로는 사람들로부터 자신을 고립시키는 것 같다. 사람들과 거리를 두려고 하는 이유는 잘 모르는 사람들이 나에 대해서 말하면서 상처를 주기 때문이다. 인간들은 자신과 다른 존재에 대해서 불편해하고, 우열을 결정하려고 한다. 열등한 존재가 되기는 싫기 때문에, 나의 단점을 지적하거나 부족함을 각인시키면서 우위를 점하려고 한다. 그런 과정에서 나에게는 상처가 생기는 것 같다. 한마디로 내가 너무 다른 존재라는 것이다. 그렇다고 그들과 같은 것처럼 연기를 하다가는 에너지가 남아나지 않을 것이다. 그래서 나처럼 다른 존재는 적당한 거리를 유지하며, 사랑과 나눔의 정신을 갖고 살아가는 것이 좋을 것 같다는 생각이다.

성당에서 하느님에게 완전히 맡기라는 메시지를 종종 듣는데, 나는 그것이 불편했다. 하느님이 하시는 일이 무엇이고, 어디까지 받아들여야 하는지, 생각하지 않고 의존하며 살아가는 바보로 살고 싶지는 않다. 하느님과 동행하면서 나만의 길을 만들어 가고 싶다. 어렵게 되찾은 나의 주도권을 누군가에게 넘기고 싶지 않다. 나를 지키고 싶다. 하느님의 종으로서, 하느님만을 위한 일을 하고 살아가면 가장 행복하다고 말하며 자신을 속이고 싶지 않다. 나는 다양한 경험을 해보고 싶고, 이제는 내가 스스로 삶 속에서 행복을 누리고 싶다. 그래야 하느님도 행복하실 것을 알고 있다. 지금까지

시련을 통해서 종으로서 많은 역할을 해왔다고 생각한다. 이제는 하느님과 함께 편안하게 살아가고 싶다. 이제 믿음으로 구원받았고, 죄가 많이 사라졌기 때문이다. 자꾸 하느님을 위해서 목숨을 바치는 행위를 높이면서, 내가 목숨을 바치라고 말하는 것 같은 메시지들이 불편했다. 이 세상은 그렇게 나를 죽여놓고, 또다시 기쁘게 하느님을 위해서 죽으라고 말하는가. 그것이 가장 위대한 것이라고 말하는가. 그것을 받아들이기 힘들다. 이미 견진성사를 받았기 때문에 이런 생각도 함부로 해서는 안 되는가. 나는 감옥 속에 갇힌 것이다. 자유를 잃은 감옥 속에… 개인의 에고가 죽어야 진정한 세계의 평화가 오기 때문에 그런 것인가. 문제를 풀어가고 방향을 잡아가는 자연스러운 과정을 즐기고 싶다. 스스로 생각하며 길을 열어가고 싶다. 나는 왜 나를 위해서 자유롭게 살아서는 안 되는 것인가. 세상은 내가 행복하게 살아가는 것이 마음에 들지 않는가? 나는 '국가를 위해서, 국민과 인류를 위해서 하느님의 종이 되겠습니다.' 하고 밝혀야 하는가. 하지만, 하느님이 나를 죽이지 않는다고 하셨어. 그래서 괜찮아. 그런 자기희생의 마음이 없이는 사회에서 바람직한 역할을 하지 못하기 때문에 훈련하게 하는 거겠지. 그렇다고 해도 나를 국가와 세계 발전을 위한 도구로 바라보는 듯한 사회의 시선이 불편할 뿐이다. 하느님의 종인 생활이지만, 선택할 수 있는 자유는 주어진다.

지도층이 되려면 진정한 종으로 거듭나야 한다는 생각이 든다. 자신들이 하느님과 더 잘 소통하고, 하느님에 대한 지식을 많이 가졌기 때문에 일반인들은 우리의 말을 들어야 한다고 말할 것 같은 사람들에 대해서 기분이 좋지 않다. 하느님에 대해서 두려워하고 벌벌 떨 사람들은 죄인들이다. 이제 한 사람의 피 흘리는 희생으로 만인이 구원받는 시대가 된다면, 죄인이 없어진다는 것이 아닌가. 그렇다면 하느님을 두려워해야 하는가? 아니다. 진리가 만천하에 드러난 시대에는 하느님과 친구처럼 동행하며 행복하게 살아가는 것이다. 과거의 예수님이 피 흘리며 만인을 위해서 죽음으로 희생하셨고, 그것을 아름답고 위대하게 생각하며 2천 년 이상을 지내왔기 때문에, 세상은 그런 관성을 이어가는 것이다. 하지만, 나는 그동안 하느님을 깨우치기 위해 너무 지친 것에 대한 보상을 받고 싶다. 인류를 너무나 사랑해서 죽음으로 자신을 희생하겠다는 마음보다는, 이제는 잃어버린 권리들을 되찾고 싶다. 그것을 하늘이 허락한다면 말이다.

2023년 11월 16일

하느님을 찬양하는 왕권의 세력들도 나의 주체성을 버리고, 하느님에게 완전히 맡기라고 하고, 인간들이 주인이라고 말하는 민주주의 정치 세력들도 나의 힘을 약화하고, 민의를 따르라고 말을 하네.

어느 쪽에서든 자신의 힘과 권능을 부리지 말라고 말을 하는 것 같다. 결국은 같은 방향인가. 나는 문제가 일어났을 때, 그것을 바로 잡기 위해서 힘을 쓰는 데 중점을 두어야 한다는 것인가. 강력한 어떤 힘이 균형을 위한 문제 해결의 한 수가 아닌 특정한 방향성으로 나선다면, 이 세계는 곤란해질 것인가. 부족함을 유지하며, 힘이 없다고 생각하고 살아가라고 말씀하셨지. 더 발전할 수는 없는가? 욕심인가. 모든 문제의 해결은 나의 주체성을 죽이고, 이 세계의 흐름에 따르는 것이다. 그렇다면, 아무런 문제는 없다. 이미 하느님이 개입하여 방향성을 알려주셨기 때문에, 많은 인간들을 참여하게 하고, 나의 욕망을 줄여야 하는 것이다. 그것이 이 세상의 교육에서 말하는 바이다. 지도자는 자신의 욕망대로 하려고 하지 말고, 이미 권력을 얻었다면, 그다음은 세계의 흐름에 자연스럽게 참여하라고 말한다. 어느 경전에서도 그렇게 말하고 있다. 지도자의 에고가 약해질수록 이 세계에 평화가 오나니, 당신은 더욱 죽어야 한다고 말한다. 더욱 버리고 내려놓아야 한다고 말한다. 그래, 너무 열심히 하려고 하지 말고, 그냥 놀아. 놀면서 자연스럽게 해.

어제는 최연혁 교수님의 '좋은 국가란 어떻게 만들어지는가.'라는 책을 통해서, 선도 국가를 지향하는 그들의 뜻이 나의 뜻과 크게 다르지 않겠다는 생각이 들어 다시 믿음을 갖게 되었다. 내가 지원서와 면접을 통해서 표현한 구상에 대해서도 그들이 이해할 수 있겠다는 생각도 들었다. 하지만, 어디까지나 그들이 나와 같은 운명을 짊어진 동지들이라면, 내가 성장하고 더 훌륭하게 역할 하는 것을 도와야 할 것이다. 나는 종착점에 도착한 것이 아니고, 새로운 출발을 위해서 신발 끈을 묶어야 하는 시점에 온 것인데, 모든 것을 이룬 것처럼 인정해 준다면, 동력은 상실될 수 있고, 안주할 수 있다. 그래서 끝날 때까지 끝난 것은 아니고, 모든 깨달음과 혼란의 과정이 교육의 현장이다. 그들은 나에게 갈등을 주어야 할 것이다. 왕권의 본질은 무엇인지, 왕권이 왜 필요한지, 그것이 어떻게 민주주의에 필요한 요소인지를 국민들에게 설득하기 위해서는 좀더 깊고 본질적인 갈등이 필요했을 것이다. 그것을 그들이 의도했을 수도 있고, 하느님이 의도했을 수도 있지만, 이 세계는 내가 좀더 성장해서 바람직한 지도자의 모습이 되는 것을 갈망하고 있을 것이다. 그것이 국가와 세계의 안정에 도움이 되기 때문이다. 왕권이란, 내 마음대로 힘을 행사하는 것이 아니라, 하늘에 순종하여 지혜로써 세상을 다스리는 것이 아니던가. 그런 왕권이라면, 그런 왕도정치라면 국민들도 허용할 수 있을 것이다. 부패한 독재 정치의 왕권이 아니라, 권력의 주체도 하늘의 감시와 지배를 받는다면 그는 부패할 수 없을 것이다. 그렇지 않으면, 처벌이 가해져 몸이 아파지기 때문에 살아갈 수 없기 때문이다. 따라서 왕권을 지향하는 자의 큰 덕목은 자기 몸을 아끼고, 하느님을 두려워해야 한다는 것이다. 모든 인간을 하느님처럼 대해야 한다는 교리가 있기 때문에 인간들을 두려워해야 한다는 것이다. 내가 하늘이 허락한 왕권을 통해서 희망하고, 완수해야 하는 것은 평범한 국민들이 하고 싶어도 하지 못하는 것. 국가를 독립적으로 우뚝 세워서 성장을 가로막고 있는 유리천장을 부수어 버리는 일이다. 그런 일이라면 국민들도 왕권을 허락할 것이다.

한쪽에서는 지나치게 생각하지 말고, 하느님의 노예가 되어 진정한 자유를 되찾으라고 말하고, 한쪽에서는 스스로 생각하고, 인간이 진정한 국가의 주인이 되어야 한다고 말한다. 양쪽 모두 저마다의 자유를 갈망하고 있다. 최근 매일 미사의 말씀을 보니, 하느님 나라는 이미 와 있으며, 눈에 보이게 드러나는 것이 아니라고 한다. 그 뜻은 모두가 의무적으로 하느님의 자녀가 되는 세례를 받아야 하는 것은 아니고, 자발적으로 하느님을 따르게 되거나, 다양한 자율성을 허용한다는 것 같다. 결국, 이 세계를 이끌어가는 지도층들은 시대정신과 진리를 따르게 되기 때문에, 그런 방향성을 갖고 흘러간다는 의미인 것 같다.

이제는 만인이 구원받기 때문에 죄가 없어진다고 했는가? 사회계층이 높아져 지도층이 될수록 하느님이 두려워지는 이유는 생존의 조건이 달라지기 때문이다. 나도 가난하고 지킬 것이 없이 꿈만을 꾸면서 살아갈 때는 인간과 세상을 좀 더 사랑할 수 있었고, 그래서 실수하거나 죄를 짓지 않기 쉬웠다. 하지만, 성취가 많아지고, 가진 것과 지켜야 할 것들이 생긴다면, 가진 것을 무한히 나누고 사랑하는 마음만으로 살아가기는 어려워진다. 어떤 선이 필요한 것이다. 이에 규율과 규칙이 필요하고, 계명을 지키고 실천하는 것이 중요해지는 것이다. 그래서 죄가 생겨나는 것이고, 지도층으로 갈수록 하느님을 두려워해야 맞는 것이다. 죄를 짓기 쉬운 생존 조건 하에 놓이게 되기 때문이다. 현재 나의 생존 조건으로 볼 때, 나는 하느님을 두려워하며 살아가야 하는 것이고, 예전처럼 모든 것을 사랑하면서 살아갈 수는 없을지도 모른다. 하지만, 기억해야 할 것은 이제 많은 것을 새롭게 하는 새 질서를 앞두고 있다는 것이다. 시대에 맞게, 문명의 진화에 맞게 바람직한 규율과 규칙을 만들어 나가야 하는 입장에 있다는 것을 명심하고, 모든 교리에 대해서 죄의식을 갖고 너무 억압적으로 생각하지는 말자.

"무엇을 위해서 새로운 질서를 가져오려고 하는가."
"무엇을 위한 길인가. 자신의 명성을 위한 길인가. 인간들을 구하기 위한 길인가."

최근 성당에서 새로운 봉사 일을 해보라는 권유를 종종 받는다. 지난번에는 헌화회를 해볼 것을 요청받았는데, 예비자 교리 봉사 제의도 두 번이나 받았다. 이것 역시 하느님의 부르심일 텐데, 하다가 도중에 중단하게 되면, 폐를 끼치지 않을지 걱정되어 주저하고 있다. 너무 바빠지면 중단하게 될 수도 있기 때문이다. 이미 사람이 필요할 때마다 헌금 계수 봉사를 종종 하고 있어서 만족하고 있다. 이번에 카페 봉사를 중단하고 나오면서 폐를 끼친 것 같아서 마음이 불편했는데, 또다시 중단하게 된다면 너무 힘들 것 같다. 나는 사람들과 협업하는 것이 조금 힘들다. 헌금 계수 봉사처럼 혼자서도 어려움 없이 할 수 있다면 괜찮을 것 같기도 하지만, 단체 생활이다 보니 걱정되기도 한다. 이번에 자신감이 많이 떨어진 것은 사실이다. 나의 특수성으로 인해서 사람들에게 상처를 주고받을까 봐 걱정이다.

2023년 11월 17일

자신에 대한 믿음과 사랑이 커질수록 사주나 타로에 의존하지 않게 되었다. 앞으로 나아가야 할 길이 보이고, 현실 속에서 내가 해야 하는 일이 무엇인지 명확해졌기 때문인지도 모르겠다. 그러나 그동안 오랜 시간 나를 탐구하기 위해서 쌓아온 인문학적 교양과 지식을 전혀 없었던 것처럼 무시하고 살아갈 수는 없었다. 중요한 문제나 방향성에 대해서는 글을 쓰고, 하느님께 여쭙고, 기도하며 해답을 얻어 나아가지만, 가끔은 나를 깊이 이해하도록 도와주는 각종 인문학적 도구들을 참고해 본다. 최근에는 내 사주에 '월공귀인'이 있어서 대중들의 선망과 인기를 얻을 수 있는 요소가 있다는 것을 알게 되었다. 과거를 돌아보니, 나에게 일어났던 여러 일들이 이해가 갔다. 나를 주목받는 인기인이라고 생각하지 않고 상황을 이해하려고 하니 어려움이 있었던 것이다. 고등학교 때에도, 대학교에 다닐 때에도, 나는 많은 이들에게 관심을 받았을 것이다. 하지만, 모든 것은 양면이 있듯이 주목을 쉽게 받는 만큼, 어둠도 커질 수 있다. 쉽게 구설수에 노출되기 쉽다는 것이다. 그래서 공인답게 행동하지 않고, 일반인 기준으로 행동한다면 구설수에 오를 수 있기 때문에 조심해야 한다. 그래서 새롭게 봉사활동이라는 단체생활을 시작하는 것이 두렵다. 내가 너무 주목을 받아버리면, 단체생활에서 적응하기 어려울 수 있고, 또다시 문제를 만들어 낼 수 있기 때문이다. 나는 단지 순수한 마음으로 하느님이 계신 집의 발전을 위한 봉사활동을 하고 싶은 것인데, 사람들과의 관계가 너무 가까워지면 쉽게 상처받는 나에게 이것은 일종의 도전이다. 이것은 내가 인류의 구원자, 어린 양으로서 활동을 해나가고 있기 때문인지도 모른다. 무엇보다 여유와 여백이 없는 생활은 하느님과 소통할 수 없어 불행한 시간이기 때문에 걱정되기도 한다. 내년에는 세운에서도 월공이 와서 내가 주목받고, 나의 행적이 널리 알려질 수 있는데, 너무 많은 일을 벌여 놓으면 적응하기 힘들지 않을까 하는 생각도 든다. 큰 변화가 다가올수록 충분히 숙고하고 생각할 수 있는 시간이 확보되어야 하지 않겠나. 나는 변화하는 세계에 대해서 끝없이 새로운 전략을 구상하고 가다듬어 나가야 할 것이다.

 역시 혼자가 편하다. 혼자가 편한 이유는 하느님과 적극적으로 함께할 수 있기 때문이다. 주변 사람들과 너무 친해지면, 그들이 나를 지배하려고 하기 때문에 불편해진다. 아무에게도 지배받지 않고, 하느님과 소통하며 살아가려는 사람이라면 홀로 지내는 편이 낫다. 그래서 성당에서도 사람들과 적당한 거리를 유지하는 것이 서로에게 좋은 것이다. 사제님들과도 너무 가까워진다면, 그들이 나의 생각까지 내려다보며 지배하려고 할 수 있고, 행복한 신앙생활이 불가능해질 수 있다. 내가 바라는 것은 속도에 관계없이 하느님의 집인 성당에 자주 드나들며, 스스로 깨닫고 다스려지는 행복한 과정을 즐기고 싶다는 것이다. 최단 거리로 어떤 목적을 수행하기 위한 도구로 살고 싶지 않다. 사람들은 나에게 기대하는 바가 크고 욕심이 많겠지만, 그럴수록 나는 이제부터 나만의 행복을 더 중요하게 생각하고 살아가고 싶다. 하느님은 인간들의 행복을 바라실 것이라고 생각한다. 모든 이들이 선하게 변화하는 것을 바라지도 않으실 것 같다. 하느님 스스로 자비를 실천할 수 있는 기회가 사라지기 때문이다. 인간들의 선택과 자유의지를 존중하실 것 같다. 최단 거리로 목표를 완수하기를 원하지도 않으실 것 같다. 하느님은 인간들의 지배자이기 이전에, 부모님이 아니신가. 자식들이 훌륭하게 성장해서 독립적으로 잘 살아가는 것을 원하지 않겠는가. 인간은 지배자를 머리 위에 두고 죄의식을 갖고 살아가는 존재가 아니라, 성령님의 인도에 따라 시행착오를 통해서 과오를 다잡으며 성장해 가는 존재들이다.

"언제나 하늘과 함께하는 '지혜'가 있다면 홀로 작업할 수 있다."

"정치인들은 민심을 가장 두려워하고 주의를 기울이는데, 그 민심을 움직이는 나의 정신이 바로 권력이 된다는 것을 알겠니? 내가 결국 무엇을 원하게 되는지를 국민들이 따라간다는 것을 알겠니? 그것을 믿어봐."

2023년 11월 18일

결국 성당에서 제안한 봉사활동은 하지 않기로 결정했다. 대모님의 의견이 결정적이었는데, 아직 기반이 안정되지 않은 상태에서 봉사 일을 시작했다가 다른 일을 해야 해서 도중에 중단하게 될 수 있으니, 섣불리 시작하지 않는 게 좋겠다는 의견이었다. 내년에는 나의 활동이 더욱 널리 알려져 바빠진다고 하는데, 그럴수록 그 변화에 대응하기 위해서는 여백과 운동의 시간을 충분히 가져야 한다는 생각이 든다. 어떤 단체에 소속되지 않아도 주일미사에서 헌금 계수 봉사를 할 기회가 있을 때 적극적으로 돕는다면 충분하다고 생각한다. 평일에도 매일 미사에 나가는 것만 해도 충분하다. 하느님은 이제 나의 고통을 통해서 무언가 이루기를 원하지 않으신다. 나만 행복하면 모두가 행복하다고 하지 않으셨나. 내가 스스로 행복하고 주인 되게 살아가기를 원하실 것이라고 생각한다. 나는 하늘과 소통하며 주인답게 살아갈 것이다. 그동안 내가 사랑이 부족하여 간절히 기도하려는 마음이 부족했나 보다. 간절히 기도할 것이 생기니, 하느님이 내 주변 상황을 조정해 주실 것이라는 믿음이 생긴다. 그래, 이것이 기도의 본질이고, 믿음의 힘이야. 간절히 원하는 것이 없었기 때문에 기도를 자주 하지 않았고, 이루어진 경험이 축적되지 않아서 믿음이 강하지 않았던 것이다. 중요한 것은 내가 무엇을 원하는지를 분명히 하는 일이다. 그것을 여러 번 되뇌다 보면 하느님이 경우에 맞게 펼쳐 보이실 것이다.

누군가는 내가 성당에서 봉사활동을 하지 않는 것을 보고 하느님에 대한 사랑이 부족하다고 말할 수 있다. 하지만, 나에게는 여백의 시간에 자유롭게 글을 쓰는 시간이 하느님에게 지혜를 얻고 소통할 수 있는 시간이기 때문에 가장 중요하다. 누구든지, 자신에게 적합한 방식으로 하느님과 사랑을 나누면 되는 것이다. 하느님이 나에게 가장 바라시는 것은 '지혜'이기 때문에, 이 지혜가 내 안에서 잘 노닐 수 있도록 맑은 정신과 신체를 유지해 가는 것이 하느님을 사랑하는 가장 나다운 봉사의 방식인 것이다. 성당에서 시간을 보내면서 확실히 거룩해지는 정신을 느낀다. 특히, 기도하고 미사를 드리는 대성전과 기도를 하는 소성전에 있으면 거룩한 정신이 느껴지는데, 그것은 하느님이 함께하시기 때문인 것 같다. 그렇다. 성당에 가면 하느님이 항상 계신다. 고민이 있을 때, 길을 알고 싶을 때, 성당에 간다면 좀 더 맑은 정신과 만나며 해답을 얻을 수도 있다. 언젠가 전자기기 중독으로부터 자유롭지 못한 정신으로 인해 괴로워했는데, 하느님이 나를 성당으로 부르시고 구해주셨다. 아직 많은 사람들이 전자기기로 인한 중독으로 삶에서 어려움을 겪고 있다면, 이와 같은 해법을 안내해 주고 싶다.

좀 더 고차원의 소통 방식을 익혀가고 있다. 직접적으로 의사를 표현하지 않아도, 본디 세계는 나를 중심으로 움직이고 있기 때문에 하느님과 우주에 대한 믿음을 가질 수 있다. 내가 생각을 해보고, 반추하고, 바라는 바를 기도하는 것만으로 상대방에게 전달된다는 것이다. 그래서 좀 더 품격 있는 의사소통을 해나갈 수 있는 것이다. 적당한 거리를 유지하면서 자존을 유지해 갈 수 있는 것이다. 앞으로의 시대는 텔레파시로 소통하는 시대가 된다고 하던데, 세상이 결국 나의 방식을 따르게 된다면, 이런 방식이 보편적으로 널리 알려질 것 같기도 하다. 이런 방식이라면, 세상에 수많은 갈등이나 싸움으로 인한 아픔이 줄어들 것이다. 하느님이 나의 의사를 대신 전달하고, 조정해 주시기 때문이다. 카페 봉사를 하면서도 어떤 어려움이나 갈등에 대해서 이런 생각을 했다면, 시간이 지날수록 하느님이 나를 도우셨을 것이다. 앞으로는 어떤 상황에서도 하느님을 좀 더 믿고 인내하며 기다리는 숙성의 시간이 필요할 것 같다. 나의 모든 것을 하느님께 간구하자.

가끔 어떤 사람이나 대상에 대해서 미움의 마음이 올 때는 나만의 탓이 아닐 수도 있다. 그 상대가 너무 오만해졌다거나 나에 대해서 나쁜 생각을 했기 때문에, 하늘이 조정하여 자연스럽게 그런 마음이 솟아날 수 있겠다는 생각이 든다. 모든 존재는 연결되어 있기 때문이다. 더 이상 죄책감을 느끼지는 말자. 모든 것은 마음이 하는 일이므로 스쳐 지나갈 수 있기 때문이다. 반대로 내가 타로를 통해서 상대방의 속마음을 자주 들여다보면서 쾌락을 추구한다면, 하느님의 조정에 의해서 나에 대한 그의 마음이 나빠질 수도 있겠다는 생각도 든다. 하느님은 교만한 인간을 역겨워하시기 때문이다. 쾌락을 지나치게 추구한다면 상황이 나빠질 수 있으니 조심해야겠다. 극단은 언제나 주의해야 한다. 큰 에너지를 갖고 세계를 안정적으로 다루기 위해서는 항상 평정심과 중용의 정신을 이어가야 극단적인 상황을 사전에 방지할 수 있다. 큰 세계를 감당하기에 앞서 타로를 멀리해야 하는 이유를 한 가지 더 알게 되었다.

갈등이 있어야 빛이 드러나는 법이다. 내가 문제를 해결하여 빛을 밝히고, 새로운 질서를 주장해야 한다. 그들이 새로운 질서를 미리 만들고, 공표한다면 강력한 문제 해결의 에너지를 모을 수가 없고, 국민들의 마음을 변화시키기 어려운 것이다. 대세의 국민 의식에 영향을 주기 위해서는 내가 문제의식을 갖고, 그것을 해결하여 빛을 밝혀야 하는 것이다. 내가 정치학교에 들어가 기존의 일반적인 대통령의 역할을 하는 데 있어 어려움이 있는데, 그 어려움에 대처하는 과정을 통해서 존재적 설득력을 가질 수 있는 것이다. 따라서 그들은 나에게 문제상황을 줄 수 있고, 결국 궁극적으로 그들을 믿을 수 있게 된다. 그들은 나의 일을 도와주는 것이다. 언제나 큰 그림에서 조망해 보는 연습이 필요하다. 이런 지혜를 주신 하느님, 감사드립니다. 새로운 정당이 간절한 시대의 요청이 될 수 있도록 허락해 주소서. 새 술을 새 부대에 담을 수 있는 정치적 환경이 조성될 수 있도록 자비를 베풀어 주소서. 국민들에게 하느님과 함께하는 새로운 희망이 전해져, 몸과 마음이 기쁘고 건강해졌으면 좋겠습니다. 이렇게 아름다운 세상에서 살아갈 소중한 기회를 주셔서 감사합니다.

성당에서 만나는 사람들에게 쉽게 상처받은 이유는 단 한 가지야. 너의 진정한 존재를 밝혔기 때문이야. 너의 존재를 밝히고, 인물 등록의 정보를 보여준 사람들로부터 무언의 상처를 받는 거야. 즉, 너는 예수님이라는 소명 때문에 쉽게 상처를 받고, 환난을 당했던 것이다. 너의 존재에 대한 정보를 밝힌 것은 대단한 용기였다. 그리고 상처를 쉽게 받을 수밖에 없었기에, 사람들과 친해졌다가도 쉽게 상처받고 또 멀어지는 것이다. 너의 성격적 결함 때문이 아니다. '어린 양'이라는 존재의 십자가만 짊어지지 않았다면, 많은 사람들과 자연스럽게 어우러졌을 것이다. 하지만, 너의 존재를 내보인 이상, 앞으로도 사람들에게서 상처를 받을 수 있으니, 사람들에게 너무 가까이 다가가지 않는 것이 좋다. 스스로를 보호하고 지킬 수 있도록 하라.

2023년 11월 19일

 그동안 성당에서 있었던 인간관계적인 갈등에 대해서 생각해 보면, 권력을 유지하기 위한 것 때문이라는 것을 알게 되었다. 나에게는 권력을 유지하는 것이 도덕을 실천하는 길이다. 나의 소명이 권력을 실현하는 일이고, 국민들의 처지를 대변하고 있기 때문이다. 내가 하늘과 직접 소통하면서 길을 열어나갈 수 있는 활동성을 지켜가고자, 성당의 사제님들을 포함해서 나를 지배하려는 윗사람들에게 적대적 감정을 갖게 되면서 어려움이 생긴 것이다. 정치학교에서 지향하는 지도자의 모습을 생각해 보아도, 나의 권력 방식과는 달랐기 때문에 불신하고 적대적 마음을 가진 것이고, 성당에서 나에게 친근감을 갖고 다가오는 사람들과도 애써 거리를 두며 지배받지 않으려고 한 것도 권력을 유지하기 위한 것이다. 사람들은 쉽게 나에 대한 소문을 퍼뜨릴 수 있고, 거리가 너무 가까워지면 결점이 잘 드러나서 권력 유지에 방해가 되기 때문이다. 권력을 유지하려는 것이 단지 개인의 성공을 위한 것은 아니다. 내가 권력을 지켜가야 새로운 질서를 만들 수 있고, 그래서 세계의 평화가 다가오는 것이 아니겠는가. 나는 완전하지 않기에 비밀을 유지하고, 권력을 지켜갈 수 있어야 내가 할 일을 다하는 것이 아닌가. 그래서 미안하지만, 가까워졌다가 다시 멀어지는 인연들에 대해서 양해를 구하고 싶다. 그래서 성당에서 하는 봉사활동은 어렵고, 사람들과 쉽게 친해지는 것도 어렵다. 나의 진정한 정보를 알게 된 사람이 나에게 대할 때, 온 세상 대중들의 힘을 받아 나를 대하는 것 같아서 더욱 상처가 된다. 하느님은 이런 나의 가여운 처지를 잘 알고 계실 것이다. 나의 십자가로 인해서 얼마나 세상에 쉽게 상처를 받고 있는지. 그것도 모르면서 내가 사랑이 부족하고 인색하다고, 사람들과 거리를 둔다고 지적할 수 있겠는가. 나는 언제나 만인을 포용하고, 사랑해야 하는 의무가 있는 것인가. 내가 나를 지키고, 행복해야 사랑도 전할 수 있는 것이다. 나에게 함부로 죄의식을 주지 말라.

중요한 것에 대해서

2023년 11월 20일

 이번 책의 주제의식을 포착했다. '중요한 것을 지키기 위한 분투'
이다. 제목은 '중요한 것'으로 하면 될 것 같다. 처음에는 정리가
되지 않는 경험들에 대해서 걱정했는데, 성령님이 빛을 비추어 주
시며 주제의식이 드러나도록 해주셨다. 내가 왜 그렇게 고통받고,
갈등 상황에 놓이는가. 그것은 중요한 것을 지키기 위한 것이다.
하늘이 권력을 향한 20년의 피 흘리는 여정을 통해서 국민들에게
진정한 권력을 주려고 하는데, 그 권력을 유지하는 데에 방해가 되
는 것이 다가온다면, 마음의 평화를 강하게 해치며 조정하도록 이
끄시는 것이다. 제도권의 일반적인 시각에서 보면, 권력을 혼자서
독차지하려고 한다며, 민주주의가 아닌 독재 정치를 떠올릴 것이다.

하지만, 나의 경우, 평범한 대통령의 소명은 아닌 것이다. 전 세계적 문제를 해결하여 인류를 구원하는 지도자의 역할인데, 국내 정치의 시각에 한정하여 지도자의 권력이 강하다고 약화하고 싶은가? 나에게 영향을 주는 주변인들의 권력이 강해지지 않도록 관리하려고 하는 이유는 분명하다. 거대한 권력은 죽음에 가까운 고난을 통해서 단련된 사람만이 감당할 수 있는 것이다. 그런 입장의 사람이 설사 잘못된 길에 들어서더라도 하늘에 의해서 고침을 받는 것이다. 그렇게 내면과 가까워진 권력자만이 부패하지 않고, 길을 잘 알아차릴 수 있는 것이다. 단련됨이 없이 기회가 좋아서 거대한 권력을 갖게 된다면, 아무리 우수한 인재라도 실패할 수 있다. 그만큼 거대한 힘은 잘 다루지 못하면 자신을 해칠 수도 있는 것이다. 내가 세상에 원하는 것은 개인적인 이익을 위한 것인가? 인류의 문제를 해결하고, 인간들을 행복하게 하기 위한 길이 아닌가? 나는 도를 체득한 인간으로서 역사의식이 원하는 진리의 방향에 조준되어 있지 않은가. 내가 그토록 권력을 지키고 싶은 이유를 알겠는가. 내가 행복하게 권력을 가져야 세계 속에서 대한민국이 선도력과 주도권을 가질 수 있는 것이다. 세계 속에서 힘을 갖고, 많은 국가적 대업을 안정적으로 진행할 수 있는 것이다.

내가 게으르다며 일하도록 다그치는 주변인들의 메시지들이 종종 보인다. 나는 스스로 돌아보면서 게으르면 안 된다고 생각하기도

하지만, 한편으로는 나의 주도권을 빼앗으려는 움직임으로 보인다. 내가 게으른 시간을 충분히 보낸다면, 하느님과 더욱 잘 소통할 수 있고, 마음껏 의도하고 기도하여 원하는 바를 이룰 수 있으며, 지혜가 일하는 영역에서는 누구도 필요하지 않기 때문이다. 방향은 우리가 설정할 테니, 당신은 열심히 일하라고 다그치는 것 같다. 나는 그것이 마음에 들지 않는다. 이 역시 나의 권력 유지를 막는 일이다. 성당에서도 재능이 많은 사람에게는 하느님이 더욱 많은 것을 바라시기 때문에 더욱 잘하려고 노력해야 하며, 죄의식을 가져야 한다는 메시지를 종종 얻곤 하는데, 그 역시 마음에 들지 않는다. 나보다 성당의 사람들이 하느님과 더 친하고, 잘 소통하기 때문에 자신들의 말을 들어야 한다는 의미 같다. 하지만, 나 역시 하느님과 매일 소통하고 있다. 하느님은 내가 행복하기를 가장 원하고 계신다. 내가 하느님의 종이라고 해도, 불행하게 일만 하는 것을 원하지 않으실 것이다. 게다가 이 세상은 인정하고 싶지 않겠지만, 나는 하느님과 좀 더 긴밀하게 연결되어 있다. 따라서 내면의 느낌을 소중히 하고, 권력을 지키는 일에 대해서 쉽게 양보하지 않을 것이다. 게으르게 홀로 명상하며 시간을 충분히 보내보면, 모든 문제가 해결될 것이라는 생각이 전에 솟아난 적이 있는데, 이제는 명확하게 이해가 간다.

나에게 다가오는 모든 갈등과 문제들이 가리키는 방향은 '중요한

것이 무엇인가'이다. 나에게 행복이란, 하느님과 소통하며 권력을
유지해서 인간들을 널리 이롭게 하는 일일 것이다. 그런 의미에서
결혼에 대해서도 자신이 없다. 결혼을 진지하게 제대로 생각해 본
적은 없지만, 한 남자에게 종속되어 살아가는 인생이라면 나의 주
도권과 권력은 어떻게 되는 것인가. 높은 위치에서 홀로 너무나 고
독해진다면, 문제를 발생시킴으로써 안정을 찾으려는 성향이 있을
것이기 때문에 가급적 결혼을 하고자 하지만, 나의 배우자가 나의
뜻과 사상에 대해서 얼마나 이해해 줄 수 있을지도 잘 모르겠다.
나의 소명을 위한 권력을 지켜갈 수 없는 결혼을 할 바에는 혼자서
살아가는 것이 나을 것이다. 아무쪼록 앞으로 나의 배우자가 되는
사람은 나의 활동을 응원해 주고, 자유롭게 살아갈 수 있도록 도와
주었으면 좋겠다.

 평범한 시대에는 질서를 따르고, 순응하는 것이 세계의 선을 위한
길일 것이다. 하지만, 지금은 모든 오래된 질서가 끝나고, 새로운
질서가 떠오르는 시점이 아닌가. 천주교에서도 예수님이 다시 등장
한다면, 성경 말씀이 가리키는 뜻을 완수한 것이 되므로, 새로운
하늘 말씀의 질서가 도래해야 하는 것이 아닌가. 아무도 그 미래에
대해서는 잘 모르고 있는 것이 아닌가. 따라서 내가 취해야 하는
방식은 기존 질서를 무비판적으로 따르는 것이 아니라, 내면에 연
결된 신성에 의지해서 이 시대에 걸맞은 길을 열어가는 것이다. 기

존 질서의 힘이 사라져가는데, 새로운 질서가 떠오르지 않으면 모든 존재는 몰락으로 간다. 기존의 질서가 지향하는바 역시 세계의 안정과 평화라면, 같은 지향점을 갖고 세계를 구상하면 되는 것이다. 다시 한번 말하지만, 이 세계는 내가 하늘과 긴밀하게 연결되어 있다는 것은 무시하려고 하는 것 같은데, 그것이 마음에 들지 않는다. 오래된 문서에 드러난 교리를 경직적으로 따르는 것보다, 내 안에서 현재 살아 숨 쉬는 하느님에게 간구하고 여쭈어보며, 길을 열어가는 것이 가장 중요하다는 것을 알겠다. 그것을 모든 이들이 바라고 있을 것이다. 아직도 새로운 질서를 간절히 원하지 않는가. 그렇다면 좀 더 어려움에 처하게 될 것이다. 그래야 새로운 빛을 간절히 원하게 되기 때문이다.

하느님… 언제나 저의 방향성을 굽어살펴 보시어, 바른길로 인도해 주십시오… 저는 오직 내면의 나침반과 지혜를 믿고, 이 거대한 세계에 참여하려고 합니다… 당신의 이끄심이 없다면, 저는 사회로부터 배척받을 것입니다. 부디 저를 불쌍히 보시어, 저와 연결된 모든 이들의 안녕과 성공을 이끌어 주시고, 더 많은 이들과 직간접적으로 연결되어 모두에게 복을 내려주십시오… 새로운 질서는 처음에는 만인이 거부하겠지만, 시간이 지날수록 간절히 원하는 희망의 빛이 되도록 이끌어 주십시오… 저는 얼마든지 기다릴 수 있습니다… 부디 세계의 평화를 위해서 힘을 모아 주십시오… 그리고 이미 와 있는 하느님 나라에서 인간들이 좀 더 하늘과 연결되어 평화롭게 살아갈 수 있도록 깨달음을 주십시오… 제가 교만해지지 않도록 도와주시고, 많은 이들과 조화로운 관계로 이 세계에 참여할 수 있도록 지도해 주옵소서… 저를 둘러싼 많은 이들의 건강과 안녕을 비 옵니다. 부디 제가 지치지 않고 소명을 다할 때까지 언제나 바른길로 인도해 주시옵소서… 아멘.

2023년 11월 21일

 오늘은 성당의 미사 시간에 나온 독서 말씀에서 행복한 울림이 있었다.

"딸 시온아, 기뻐하며 즐거워하여라. 정녕 내가 이제 가서 네 한 가운데에 머무르리라. 주님의 말씀이다. 그날에 많은 민족이 주님과 결합하여 그들은 내 백성이 되고, 나는 그들 한가운데에 머무르리라. 그때에 너는 만군의 주님께서 나를 너에게 보내셨음을 알게 되리라. 주님께서는 이 거룩한 땅에서 유다를 당신 몫으로 삼으시고, 예루살렘을 다시 선택하시리라. 모든 인간은 주님 앞에서 조용히 하여라. 그분께서 당신의 거룩한 처소에서 일어나셨다."
 (즈카르야 2,14-17)

2023년 11월 22일

 그동안 내가 마주하는 사람들에게서 어두운 면을 보고 거리를 두
려고 한 적도 있었는데, 그것은 내가 너무 밝게 빛나고 있었기 때
문이라는 것을 알게 되었다. 사람들의 마음속에는 선과 악이 언제
나 공존하는데, 관계에서 내가 어린아이와 같은 밝음을 강력하게
차지하고 있으니, 상대방은 조화로운 관계를 위해서 자연스럽게 어
둠을 자각하게 되고 드러내게 되는 것이다. 특별히 성당에서 만나
는 이들이 어두운 사람들이 아니라, 내가 선을 지향하고 표현함으
로써 그들을 어둠으로 만든 것이다. 따라서 내가 적당한 거리를 유
지하지 않고, 가까이 지내다 보면 언제 어디에서든지 인간들의 악
함에 놀라게 될 것이다. 그것은 특별히 누구의 잘못이 아니라, 자
연스러운 일이다. 나는 고독해져야 하며, 그래야 하늘과 더욱 친해
지고 긴밀하게 연결되어 글을 잘 쓸 수 있기 때문이다. 태양이 대
상과 너무 가까워지면 해로운 것이다. 태양은 언제나 높은 곳에서
적당한 거리를 유지하고, 빛을 비추어 주어야 이로운 역할을 할 수
있는 것이다. 하늘의 태양이 인간들과 평등한 관계를 구축하려고
지상으로 내려와서는 안 된다. 이번 일을 통해서 특별히 상대의 잘
못이 아니라는 생각을 갖게 되었고, 스스로 자신을 잘 몰라서 적당
한 거리를 유지하지 못했기 때문이라는 생각을 더욱 갖게 되었다.
이 모든 것은 나의 입지가 분명하지 않기 때문에 벌어지는 일이다.

하느님의 권능을 밝히려고 사람들에게 나를 드러낼수록, 나는 더욱 미움을 받게 될 수도 있다. 그것은 나의 힘이 아직 완전하지 않기 때문이다. 인간은 압도적으로 강한 자에게는 질투보다는 존경을 보낸다. 이것은 시간이 지나면 정리될 일이다.

어려움에 처해 있거나 내면에 악한 면이 있는 사람들이 그것을 빛으로 쬐어 구원받기 위해서, 나에게 더욱 다가올 수 있다는 생각도 든다. 그래서 그들이 더욱 악한 면을 보여주어 그것을 마주하게 되는지도 모르겠다. 선한 사람들은 예수님이 직접 구원해 주지 않아도 행복하게 잘 살아갈 수 있지만, 부족하여 죄를 쉽게 짓는 사람들은 예수님의 자비와 구원이 더욱 절실해지는 것이다. 그래서 내가 살아가는 동안에 인간들의 사악한 면을 마주하기 쉽고, 그것을 배척하고 피하기보다는, 거리를 조정하여 이해하고, 용서하며, 선한 영향력을 행사하는 것이 필요하다는 생각이 든다. 때로는 강력하게, 때로는 부드럽게. 너무 악한 기운의 대상들과 가까이 지내다 보면, 스스로 너무나 힘들어지기 때문에 적당한 거리를 유지하는 것은 자신을 지키기 위한 일이다. 대부분의 악함은 에고의 강함이나 무지에서 나오는 경우가 많으므로, 죄를 통해서 하느님을 만나게 하고, 반성하여 참회할 수 있는 길을 열어주고 싶다. 내가 노력해야 하는 것은 자비를 베풀고, 인간들을 용서하는 일이다. 한 가지 걱정되는 것은 나의 미래 배우자가 나와 함께 지내다 보면 악해질 수 있다는 것이다. 그래서 선함과 밝음을 너무 독점하여 표현하지 말고, 적당히 느슨하게 지내는 것도 필요한 것이다. 그래도 살아가면서 선하고 좋은 사람들을 많이 만나고 싶다. 성당에 다니면서 신부님께서 선하게 살아가야 한다고 하셨기에, 자신의 모습을 죽이지 말고, 선하게 행동해도 된다고 생각하여 행했지만, 이런 어려움을 생각해 보니 표현을 자제하고, 적당한 거리가 필요한 것 같다.

 모든 것은 믿음의 문제일 수도 있다. 아직 나의 믿음이 완전하지 않기 때문에, 완전한 믿음으로 갈 수 있는 경험들이 채워질 때까지는 갈등 상황을 종종 만나게 될 수 있다. 인간관계의 갈등을 하느님과 나와의 관계 안에서 생각하라는 신부님의 말씀이 떠오른다. 어떤 갈등도 기도와 믿음으로 치유될 수 있다는 것을 경험으로 체득하게 된다면, 인내하면서 기도하며 기다리게 될 것이고, 모든 문제는 사라질지도 모르겠다. 나는 소중한 과정을 거치고 있다. 그러나 그동안 일어났던 모든 갈등과 그로 인한 결단은 옳은 것이었다.

2023년 11월 23일

 누구든지 나를 지배하고, 통제하려고 하지 마라. 나는 특별한 존재이기 이전에 인간이고, 속상하거나 불쾌한 일에 대해서 이렇게 일기를 쓸 수 있는 권리가 있다. 나의 힘을 고려하여 그 영향에 대해 두려워하며 조심조심 살아야 하는가? 내가 그렇게 살아간다면 세상은 변화하지 않을 것이다. 힘을 의식하지 않고, 자연스럽게 행동하고, 세상이 나에게 맞추어 줄 때, 세상이 진정으로 변하는 것이다. 내가 가진 능력은 소중한 것이다. 이 능력은 나를 위해 사용할 수 있고, 만인을 위해 사용할 수 있다. 언제나 만인을 위해서 희생해야 하는 공공재가 아니다. 나의 기분은 중요하고, 싫은 것은 싫다고 말할 것이다. 신에 가깝다고 하여, 언제나 모든 것을 용서해야 한다는 부담을 갖지도 않을 것이다. 나는 용서를 향한 지향을 갖고 살아갈 것이지만, 모든 것은 자연스러운 과정을 겪을 것이다. 나는 자유롭게 생각할 것이고, 실수하고 고침을 받을 자유가 있다. 나는 신과 인간의 경계에서 취할 수 있는 이점을 충분히 활용할 것이다. 내가 극심한 자기 계발을 통해서 성취한 소중한 능력은 근본적으로 나의 권한이다. 나는 자연스럽게 살아갈 것이다.

성당에서 배운 가르침에 따르면, 재능이 많은 사람에게는 하느님이 더 많은 것을 바라시기 때문에 더 조심해야 한다. 그것이 부담으로 다가왔는데, 지도층으로서 살아가고자 한다면 당연한 내용이다. 재능을 갖고 자유롭게 살아간다면 모르겠지만, 그에 따른 사회적 위치와 자리가 주어진다면, 좀 더 예절을 갖추고 모든 행실에 조심스럽게 살아가야 한다는 것이다. 따라서 현재 성당에서 받는 가르침은 나에게 적절한 것이다. 나는 이제 사회적인 존재로서 살아가게 될 텐데, 삶의 적당한 무게를 각오해야 한다.

 나를 국민의 대표로서 가장 높이지 않는다면, 어느 누구도 강대국
과 대기업이나 자본 세력의 영향으로부터 독립될 수 없을 것이다.
그것을 알기 때문에 피 흘리며 쟁취하여 정당한 나의 권력에 대해
서 쉽게 내려놓을 생각이 없다. 어느 누구든지 목숨을 걸고 길을
열어갈 수 있을 정도로, 모든 세력으로부터 독립적이기는 어렵다.
이 시대에 국민들이 원하는 것은 어떤 강대국이나 자본 세력으로부
터 국민들을 지키고 보호할 수 있는 지도자이다. 자본 세력은 쉽게
강대국에 종속되기 때문에, 독립적으로 국가를 운영하기 위해서는
하늘과 연결된 존재가 가장 높은 곳에서 중심을 잡고 버텨주어야
하는 것이다. 이렇게 왕권을 주장하는 나이지만, 그 길이 행복할
것인지에 대해서는 잘 모르겠다. 나는 하늘이 안내한 그 길을 믿고,
의지를 실천할 뿐이다. 하늘은 나에게 북한에 가서 핵의 역할을 하
라고 했다. 5년마다 바뀌는 국가 지도자의 역할로는 어렵다. 어쩌면
내가 왕권을 강하게 원할 수밖에 없는 구도를 이 사회가 만들고 있
는지도 모르겠다. 현재의 나로서는 이 시대의 문제 해결을 위해서
왕권을 원한다. 세상 사람들이 이제는 권력의 중심을 파악하여, 내
가 가는 길을 방해하지 않고 수월하게 열어주었으면 좋겠다. 권력
이 한곳에 너무 몰려있으면, 국민들에게 위협이 되는 것은 사실이
다. 내가 독립적이라고 생각하지만, 나 역시 나를 통제하는 정보들

에 둘러싸여 있기 때문이다. 그들은 이 점을 알고 있기 때문에, 강력한 권력의 집중에 대해서 경계할 수 있는 것이다. 하지만 나는 내면의 신성과 흐름에 더 영향을 받기 때문에 독립성을 주장할 수 있는 것이다. 독립성을 강하게 주장하고 싶다면, 인터넷 정보보다 독서를 통해서 길을 열어나가라. 원래 아무것도 없었고, 비전과 건강만이 남아있다.

2023년 11월 25일

며칠 전, 고모 내외와 사촌 오빠가 집에 방문했다. 친지들끼리 자주 왕래하는 편은 아니지만, 결혼한 사촌 오빠의 집이 멀지 않은 거리에 있어서 서울에 올라온 김에 들르신 것 같았다. 자연스럽게 서로의 근황을 주고받다가 나의 명함을 드렸는데, 네이버에 작가로 인물 등록되어 있는 것을 확인하시고, 안 본 사이에 몰라보게 성장했다며 격려해 주셨다. 지난 결혼식이 코로나 전쟁 전이었으니, 5년간 엄청난 성장과 세계의 확장을 이룬 것이다. 덕분에 부모님도 기뻐하셨다. 부모님은 나의 일에 대해서 잘 모르시기 때문에 앞으로 나의 비전에 대해 설득하는데 어려울 수 있다고 걱정했지만, 이렇게 다른 친지들이 호응해 준다면 좀 더 쉽게 부모님을 설득할 수 있을 것이라는 생각이 들어 기뻤다.

그들이 지성인이라면 하늘의 뜻에 따를 것이다. 같은 뜻을 도모하는 사람들이 내 의견을 따르지 않을 것인지에 대한 것은 걱정할 일이 아니다. 나는 착각하고 있다. 나의 아이디어나 생각이 하늘의 뜻을 무시한 나만의 생각이 아닌 것이다. 하늘이 힌트를 주면서 의도에 따라 길을 열어주는 것인데, 하늘의 뜻에 지성인들이 반기를 들 것인가. 지성인들의 특징은 역사와 진리를 좀 더 잘 알아차리는 것이다. 내가 그들을 믿지 못하는 것은 나를 잘 모르는 것이고, 그들을 무시하는 일이다. 온 세계의 지식인들, 지성인들은 하늘로부터 비롯된 나의 길을 열렬히 환영할 것이다. 자신 있게 건너가라. 나와 같은 뜻을 갖고 있는 사람들은 모두가 역사와 진리에 가까운 존재들이다. 심지어 국민들의 뜻을 살펴 국정을 운영하려고 하는 사람들인데, 국민들이 결국 나의 뜻을 따르도록 조정된다는 것을 알고 있지 않은가. 무엇이 걱정인가. 축배를 들어라. 하늘에 순명하라.

이 세상 모든 문제들의 해법이 하느님과의 관계에 달려있었다니. 나는 놀라지 않을 수 없었다. 이 세상에 이미 존재하는 모든 직업적 돈벌이를 무시하고, 오로지 나의 본질적인 길에서 가리키는 방향인 '왕권'에 집중하게 되었다는 것이 지난 몇 개월간의 놀라운 성과이다. 국민들이 갖고 있는 왕권에 대한 거부감을 해소하고, 근본적인 부분에서부터 설득할 수 있도록 이런 길을 준비하신 것이 아닌가 싶다. 하느님과 함께라면 나는 용감해진다. 불과 일 년 전만 해도 상상할 수 없었던 발걸음이다. 나에게 가장 중요한 것이 무엇인지 알 것 같다. 이렇게 전폭적으로 도와주시는 하느님에게 너무나 감사하다. 국민들이 새로운 희망을 가슴에 품고, 내년에는 더욱 건강하고 행복해졌으면 좋겠다. 아울러 전 세계 사람들에게도 희망의 소식이 전해져 따뜻한 한 해를 보낼 수 있었으면 좋겠다. 트럼프 전 대통령이 내년 재선에 성공할 가능성이 높다는 영상을 보았다. 이렇게 역사는 실현되는 것이다. 하느님 감사합니다.

2023년 11월 26일

  그동안 나의 역할을 생각하며, 사회 속에서 어떻게 처신해야 하는지에 대해서 갈등이 많았던 것 같다. 성당에서 사람들에게 어떻게 행동하고, 사제님들의 가르침을 어떻게 받아들여야 하는지, 그리고 새로운 정치세력인 한국의희망 안에서 나의 역할을 어떻게 만들어가야 할지에 대해서 혼란과 갈등이 많았던 것 같다. 두 개의 거대 조직 사이에서 역할을 훌륭히 수행해 내기 위해서는 눈치를 잘 살펴서 조화를 이루는 것에 집중하려고 했다. 하지만, 오늘 성당에서 아주 분명한 울림의 메시지가 솟아났다. 가장 '중요한 것'은 내가 스스로 행복해야 한다는 것이다. 내가 기쁘고, 내가 행복하게 살아가는 것이 가장 중요하다는 것을 깨달았다. 나는 주도권이 나에게 있을 때 가장 행복하고, 아무도 나를 지배하지 않고, 스스로 자유롭게 활동을 할 수 있을 때 가장 행복하다. 인간들을 무조건 사랑하고 용서해야 하고, 그들의 바람을 잘 살펴서 들어주어야 하는 숙제가 가득한 인생은 부담스럽다. 결국, 큰 역사적 맥락에서 내가 바라는 것이 역사의식이자 온 인류의 바람이라면, 나의 행복과 영광을 위해서 살아가는 것이 가장 바람직하고 만인을 위한 길이 아니겠는가. 누구의 눈치를 보고, 무엇을 위해서 살아가는가. 당신이 행복하면 하늘도 행복하고, 온 세상이 행복하다. 인생을 살아가는 것은 아주 쉽다. 당신에게는 이미 능력이 있고, 그것을 마음껏 누리고 부리면서 행복하게 살아가라. 내가 주도권을 빼앗기고 지배당하여 불행한데, 하느님이 행복하실 리가 없다. 그런 불행한 마음의 하느님이 세상을 널리 이롭게 다스릴 수 있을 리가 없지 않은가. 세상에 맞추려고 하는가? 단지 행복하게 살아라. 그렇다면 세상이 당신에게 맞추어 줄 것이다. 그래야 진정한 변화가 오는 것이다. 도덕이 바로 서지 않은 존재가 큰 힘을 갖고 자신의 행복만을 위해서 살아간다면, 세계의 불행을 가져올 수 있다. 하지만, 나는 매일 미사에 참여할 정도로 하느님과의 일치를 위해서 노력하고 있지 않은가. 이런 내가 행복해하는 길은 만인을 위한 길이 아니고 무엇이겠는가. 그러므로, 이 시대의 진정한 역사의 순방향에 서 있는 존재들은 안심해도 된다. 나 역시 역사의 순방향을 타고 강력하게 이끌어 갈 것이기 때문이다.

오늘은 그리스도 왕 대축일이었는데, 무척 기분이 좋았다. 내가 천주교의 세계관에 힘입지 않았더라면, 좁은 한국의 역사관 안에서 피 흘렸을 것이고, 민주주의에 방해가 되니, 독재 정치니 하면서 무시당하고 탄압받았을 것이다. 하지만, 시선을 전 세계적 역사로 넓혀 생각해 보니, 한국의 문제는 작아지는 것이었다. 한국은 세계의 영향을 많이 받을 수밖에 없는 국가이기 때문이다. 나의 역사로 인해서 국민들의 시선과 관심이 전 세계로 확장되는 것 같아서 기분이 좋다. 이제 대한민국은 세계사의 중심에 서게 될 테니, 이런 흐름은 매우 자연스럽다. 앞으로 세계를 이끌어 갈 대한민국의 국민들이 더욱 성장하고, 깨달아서 국가와 세상의 진정한 주인이 될 수 있도록 이끌어 주소서. 며칠 전 성당에서 있었던 교육 시간에 교육을 담당하신 신부님께서 일원동 성당이 종묘사직이 되어간다고 말씀하셨다. 그만큼 내가 미사에 자주 참여하는 것은 하늘에 제사를 드리는 일로, 세계의 평화와 질서유지에 가장 중요한 일이 아니겠는가. 나는 이 시대의 왕으로서 가장 중요한 역할을 잘 수행하고 있는 것이다. 체력과 건강이 허락하는 만큼 하늘에 정성을 다하여 기도를 하자. 하늘이 가는 길을 사랑하고 지지한다고 온 마음을 다하자. 부족한 저를 이끌어 주셔서 감사하다고 전하자.

2023년 11월 27일

 최근 신앙의 성숙을 통해서 세계에 대처하는 전략이 달라졌다. 여러 가지 측면에서 진보를 이루고 있는데, 기록하고 싶은 한 가지는 홀로 있을 때조차 생각과 행동을 조심하기로 했다는 것이다. 성당의 사제들이나 영적인 사람들은 내가 굳이 말로 표현하지 않아도 신과 소통하며 나의 상황에 대해 알고 있었기에 충격을 받았다. 또한 내가 믿음을 가졌던 사람이 교만한 태도를 보여서 나의 마음이 떠나가는 것을 보고, 나를 바라보시는 하느님도 그렇겠다는 생각이 들었다. 그렇다면 신과 연결된 사람들에게도 영향을 줄 수 있지 않겠나. 국민 정서에 영향을 줄 수 있지 않겠나. 그래서 사주 해석만을 맹신하고, 노력하지 않으면 일을 그르칠 수 있다고 하나보다. 하느님은 교만한 자를 매우 역겨워하시기 때문이다. 내가 어떻게 생각하고, 행동하느냐에 따라서 미래에 영향을 줄 수 있는 것이다. 미래의 예견을 실현해 내는 것은 현재 내가 겸손하게 잘 살아가는 것에 달려있는 것이다. 이미 결정된 미래라고 해도, 그 결과로 가는 과정이 순탄하기 위해서라도, 하느님의 노여움을 사지 않는 것이 좋겠다. 내가 하루를 충실히 쌓아 올리지 않으면, 나를 대하는 세계는 냉담해진다. 모든 것을 하느님이 관장하시기 때문이다. 그렇다면 이제 내가 새로운 방식을 인식했으니, 세상도 텔레파시로 소통하면서 갈등을 줄이며 지내게 될 것이 아니겠는가. 물리적인 소통이 있어야만 세상을 변화시키는 것이 아니었던 것이다.

2023년 11월 28일

오늘은 미사 시간에 하느님의 독서 말씀에서 기분 좋은 내용이 나왔다. 하느님이 한 나라를 세울 것인데, 그 나라의 미래가 매우 밝다는 것이다. '나를 찾아서 The First Diary'라는 나의 일기책에 담겨있는 '바위'라는 시에서 나는 바위이며, 바위의 속성은 무의식의 힘을 사용하는 것이라서, 스스로 산 위에서 아래로 굴러갈 때까지 방향 설정을 잘하고 기다려 주어야 한다는 내용이 있는데, 아래 내용과 연결되는 것 같아서 기분이 좋다.

"이 임금들의 시대에 하늘의 하느님께서 한 나라를 세우실 터인데, 그 나라는 영원히 멸망하지 않고, 그 왕권이 다른 민족에게 넘어가지도 않을 것입니다. 그 나라는 앞의 모든 나라를 부수어 멸망시키고, 영원히 서 있을 것입니다. 이는 아무도 돌을 떼내지 않았는데, 돌 하나가 산에서 떨어져 나와, 쇠와 청동과 진흙과 은과 금을 부수는 것을 임금님께서 보신 것과 같습니다. 위대하신 하느님께서 앞으로 무슨 일이 일어날지 임금님께 알려주신 것입니다. 꿈은 확실하고 그 뜻은 틀림없습니다." (다니엘서 2, 44-45)

미사 시간 옆에 앉은 자매님이 나에게 하체가 약하여 몸을 흔들거린다며 다리를 벌리고 서고, 평소 걸으면서 기도하라고 예쁜 묵주를 선물로 주셨다. 지난번 건강의 악화로 병원에서도 하체 운동에 더욱 집중하라는 처방을 받아서, 그 이후로 몇 가지 스트레칭을 하고 의식적으로 걷기를 하고 있었는데, 더욱 신경 써야겠다는 생각이 들었다. 무엇보다 품위를 생각하여 의식적으로 몸을 흔들지 말아야겠다는 생각을 했다. 내가 행복한 생활을 하기 위해서는 육체의 한계를 안고 살아가는 인간이기 때문에 자기관리를 의식적으로 해주어야 하는 것이다. 단시간 안에 너무 잘하려고 하기보다는, 멀리 보고 하느님이 안정적으로 그리시는 일정에 충실하자는 생각이 든다. 그래도 이렇게 신호를 받은 것은 하느님이 다시 한번 잊지 말고 건강을 챙기라고 말씀하시는 것 같다. 자매님의 영성이 뛰어나, 거리가 가까워질수록 조언으로 지배받을 수 있다는 생각이 들어 건강하게 적당한 거리를 두려고 생각했는데, 그 모든 것을 떠나서 감사한 마음이 들었다. 모든 것은 하느님이 보호해 주시는 것인데, 지배받아 곤란한 상황이 올 것을 염려했던 내가 생각이 짧았던 것 같다. 미사가 끝나고, 자매님이 쌍화차를 사주셔서 혼자 마시고 있었는데, 카페 봉사를 통해서 알게 된 한 자매님과 대화를 나눌 수 있어서 좋았다. 그분의 어린 자녀와 함께 성당 주변 도서관에서 반갑게 만났던 적이 있었는데, 그 아이가 나를 좋아하여 도서관에 오면 이모가 왔냐고 찾는다고 했다. 나 역시 그 아이를 만나면 천사를 만난 듯이 기분이 좋아서, 도서관에 오면 만날지도 모른다는 생각에 설레는 마음이 들었는데 같은 마음이었나 보다. 무언가 맑고 창의적인 느낌이 드는 아이였는데, 일요일에 미사 이후부터 오후에 있는 시간 전례 전까지 주로 도서관에 있을 것이라고 말을 했기 때문에 종종 만날 수 있을 것 같다. 그래서 오늘은 행복한 날이 되었다.

 지도자로서 자기관리를 하려고 애쓰기보다, 내가 진심을 갖고 행복하게 살아가는 것이 중요한 것이다. 게다가 내가 부족함을 지켜가야 모든 바람이 이루어진다고 말씀하지 않으셨던가. 그들은 나를 해치지 않고, 나에게 실망하지 않는다. 그들은 같은 그리스도의 지향을 갖고 있고, 내가 위기의 마음을 갖는다면, 하느님의 보호 아래 모든 어려움은 해소가 될 것이 아닌가. 더 큰 그림을 그리시는 하느님을 믿고, 자매들과 서로 상처받지 않는 적당한 거리를 유지하며, 예를 다하고, 행복한 신앙생활을 해나가고 싶다. 그동안 살아오면서 워낙 상처가 많기도 하고, 구원자의 역사를 짊어지고 있기에 쉽게 상처를 받곤 하지만, 점차 나아질 것이다. 서로에 대해서 잘 모르고, 정체성이 애매할 때 상처받기 더욱 쉬운 것이다. 시간의 도움을 받는다면 이 사회 속에서 자연스럽게 사람들과 잘 소통하며 지낼 수 있는 시간이 다가올 것이다. 사람들에 대해서 함부로 판단하고 결정하지 말자. 모든 것을 다루어 주시는 하느님이 언제든 길을 열어주실 것이기 때문이다.

2023년 12월 1일

가끔씩 주변 사람을 악으로 판단하고 미워하는 마음이 들 때도 있지만, 기도하고 시간의 도움을 받는다면 새로운 균형 아래 용서하고 이해할 수 있는 계기가 찾아오는 것 같다. 하느님은 내가 완전한 모습으로 살아가는 것을 원하지 않으신다. 나의 부족함으로 인해 하느님이 자비를 베푸시어, 더욱 깊은 관계로 거듭날 수 있기 때문이다. 주변의 사람들도 내가 조금 부족하고 실수도 하고 해야 그들이 높아지는 순서가 오기에 나를 더 좋아하는 것 같다. 그래서 크게 나쁘지 않은 범위 안에서는 어찌할 수 없는 잘못된 생각으로 죄를 짓더라도, 너무 반성하지는 말아야겠다는 생각이 든다. 사람들도 필요하고, 신부님도 필요하고, 멘토님도 필요하고, 하느님도 필요한 인생이 더 사랑받고 행복한 인생이 아니겠는가. 어제는 처음으로 매일 미사 책을 샀는데, 읽어보니 너무 행복하고 기분이 좋았다. 매일 미사를 다니면서 독서나 복음의 말씀에 주의를 기울이게 된 것은 나의 상황에 너무나 절묘하게 맞는 순간을 자주 경험했기 때문이다. 그래서 살아계시는 하느님이 말씀하시는 것 같은 생각이 더욱 들었다. 이번 달은 크리스마스가 있는 달이라서 작은 매일 미사 책이 더욱 소중하게 느껴지는 것 같다. 크리스마스 날에 어떤 말씀이 있는지 읽어보면서 그때의 분위기를 예상해 보기도 했다. 올해의 크리스마스는 굉장히 특별한 날이 될 것 같다. 내가 많이 변했다. 불과 일 년도 안 된 시간 동안, 나에게 무슨 일이 있었던 것일까.

 머리로 교리와 도덕을 인식하고, 그것을 지켜야 하는 마음으로 글을 쓰는 것보다, 순수하고 본능적인 마음으로 내 마음을 표현해 보는 것이 더 좋다는 생각이 든다. 단, 성당에 자주 다니면서 영혼과 정신을 맑게 하는 노력이 있어야 한다는 것이다. 그렇게 맑고 가벼운 정신으로 내면의 하느님을 만나 뵌다면, 좋은 지혜와 가르침을 얻을 수 있을 것이라는 생각이 든다. 내가 감당하고 있는 역사적 에너지가 너무나 강력하여 모든 생각과 말과 행동에 조심스럽지만, 그럴수록 하느님을 믿고 섬기면서 두려워하는 마음으로 살아가야겠다. 내일은 6개월 만에 전 신자 피정이 있는 날이다. 6개월밖에 안 지났구나. 그때를 돌아보니 정말 많은 변화가 있었던 것 같다. 앞으로도 많은 변화가 있을 것이다. 매일 새로워지는 내가 좋다. 단지, 기가 강하고 에너지가 강한 사람들은 생각과 마음으로 현실을 창조하는 힘이 강력하다는 과학적 믿음 하나만으로도 엄청난 자신감을 가질 수 있는 것인데, 너무 돌아왔다는 생각이 든다. 많은 좋은 것들을 거부하고자 하는 의식이 있었던 것 같다. 하지만, 이제는 나를 용서할 수 있었기 때문인지, 나에게 소중하고 강력한 힘이 있다는 생각이 들어. 이제는 유튜브에서 무속인들이 내년도 띠별 운세를 알려준다고 해도 그렇게 중요한 정보라는 생각이 들지 않는다. 이미 세계가 내 뜻대로 변화하고 있고, 나에게는 미래를 창조하는 힘이 있기 때문이다. 믿어야 할 것과 믿지 말아야 할 것을 알아차리기 때문일까. 견진성사의 은총을 생각해 봐. 이미 알아차리는 힘이 있잖아. 정말 감사해. 내가 행복한 것은 많은 이들의 문제를 해결할 수 있다는 거야. 그런 권능을 하느님이 나에게 허락하셨다는 것이 참 영광스럽고 기쁘다. 중요한 것은 내가 행복한 것이라고 했지? 내가 행복한 방향은 내가 있는 그대로 존중받고 힘을 행사하면서도, 그 힘으로 국민들과 인류를 구하고 행복하게 만들어 주는 것이다. 그런 방향이라면, 대한민국의 문제를 최선으로 해결할 수 있는 역할과 자리에 속해서 나의 소명을 다하고 싶어. 국민들이 원하는 방향으로 움직이고 싶어. 이렇게 빨리 결론이 나 버렸는데, 책의 내용이 너무 길어지면 안 되는데 걱정이네. 그래도 내년 초까지는 이야기를 이어가야 하는데… 하루하루가 너무 소중해서 다 기록하고 싶어서 그런가 봐. 이제는 내년 총선에서 큰 변화의 바람을 불러올 수 있는 결과를 끌어당기자. 나의 진심 어린 방향성에 대해서 국민들이 크게 호응해 주었으면 좋겠어. 그리고 영광스러운 결과를 향해가는 동안에, 사명자들도 더욱 거듭나서 끝까지 초심을 잃지 않고, 역할을 잘 수행해 냈으면 좋겠어. 누구도 교만해지지 않도록 하느님이 잘 다스려주실 것이라고 생각한다.

2023년 12월 4일

 지난 토요일에는 전 신자 피정 일정이 있었는데, 하루 종일 기도하고, 강의를 듣고, 고해성사하는 시간을 가졌다. 나에게는 너무나 행복한 시간이었다. 파코미오 신부님의 강의가 두 번 있었는데, 영상이 유튜브에 올라오면 여러 번 들어보려고 기다리고 있다. 지난번에 소성전에서 기도 했을 때, 정신이 너무나 거룩해져서 힘든 적이 있었기 때문에, 이번 피정 때도 하루 종일 기도하는 일정이라 걱정을 했다. 지난 피정 때는 마치고 너무나 피곤한 상태가 되었는데, 이번에는 전혀 힘들지 않고 오히려 뿌듯한 기분이었다. 처음에는 고해성사 의식 순서가 틀리지 않을까 걱정했지만, 이제는 성당의 생활에 익숙해져서 그런지 지나치게 긴장하지 않고 자연스럽게 할 수 있어서 기분이 좋았다. 놀랐던 것은 고해성사하고 나니, 가슴이 뻥 뚫리는 것처럼 맑은 영혼과 정신의 상태가 된 것이다. 이 엄청난 신비를 경험하며 다시 한번 하느님이 살아계신다는 생각이 들었다. 신부님은 고해성사가 매우 중요한 성사라고 강조하셨지만, 나도 모르게 중요하지 않게 여기려고 하는 생각이 있었다. 지나고 생각해 보니, 악마의 방해가 있었던 것 같다. 신부님이 교육 시간에 하신 말씀은 모두 다 맞는 것이었다. 처음에는 의심했지만, 영성체를 통해서 거룩해진다는 것과 고해성사를 통해서 죄를 용서받고, 병이 낫거나 맑은 정신 상태가 된다고 하지 않으셨나. 나의 삶을 돌아보면, 큰 죄를 지었다고 생각하지는 않았는데, 생각까지 다루어 본다면 나도 모르게 죄들을 지었나 보다.

고해성사하고 나니, 사주나 타로 영상을 보고 싶지 않다. 쾌락적인 영상들이 에고를 강화해, 내가 힘을 가졌다는 생각에 쉽게 타인을 심판하고 미워하려는 마음을 갖게 하는 것 같다. 자기 이해 활동이 활발한 시대에 자신을 이해하기 위한 인문학적 활동들이 에고를 강화해 평화를 해칠 수 있다는 것이다. 하지만, 그렇다고 해서 하느님은 인간들이 고해성사가 필요 없을 정도로 어떤 죄도 짓지 않고 살아가길 바라지는 않으실 것 같다. 돌아보면, 그동안 사주나 타로 영상들이 중요한 단서나 정보를 준 적도 있었기 때문이다. 예전처럼 깊게 의지하고 맹신하지는 않지만, 시기에 대한 고민을 공유할 수 있는 친구인 것이다. 그래서 악이라고 배척하기에는 소중한 느낌이었다. 고해성사를 종종 한다면, 이런 고민조차 필요 없는 평화의 상태를 지켜갈 수 있을 것이다. 교황님이나 사제님들도 고해성사를 받는다고 한다. 그 말은 어느 누구도 인간이라면 죄로부터 자유로울 수 없다는 것이고, 고해성사를 통해서 하느님과의 관계를 더욱 긴밀하게 유지해 갈 수 있다는 것이다. 어제는 미사 시간에 예비신자들의 서약 시간이 있었는데, 신부님의 말씀에 따라 미신을 멀리하겠다고 선언하는 것을 보고 나를 돌아보니, 마음이 너무 불편했다. 나는 아직도 고독하여 친구가 필요하다는 이유로,

행복과 재미를 추구한다는 이유로, 세상이 미신이라고 말하는 것들에 기웃거리고 있지 않았던가. 아직도 악에게 지배받고 있었다는 생각도 들어 이런 기록이 남는 것에 대해서 부끄럽다. 하지만 나는 안다. 인간은 서서히 변화해 가고, 언젠가 그런 심리적 친구들이 필요가 없어질 만큼 분명히 바로 설 수 있는 시기가 오리라는 것을 말이다. 지난 강의에서 하느님이 인간을 사랑하시는 가장 큰 징표는 자유를 허락한 것이라는 말씀을 들었다. 나는 자유로운 활동을 통해서 깨닫고 서서히 변화해 간다. 아무런 죄도 짓지 않기 위해서 모든 것에 조심하면서 부자연스럽게 살아가는 것보다, 평화를 지향하면서 인간적으로 행복하게 살아가는 것이 중요한 것이 아닐까. 행복이 가장 중요하다면, 나의 행복은 어디에 있을까. 신이 되기 위해 금욕해야 한다고 말하지 않고, 불완전한 인간으로 행복하게 살겠다고 다짐하는 정신을 인식한다. 그래도 조심해야겠지.

2023년 12월 5일

 오늘은 중요한 각성이 찾아왔다. 그동안 기도의 중요성에 대해서 특별하게 생각하지 않았다. 그 이유는 오랜 시간을 살아오면서 무의식적으로 무교적인 한국 사회에 적응하기 위해서 그런 것 같기도 하고, 무엇보다 일반적인 주변 사람들의 의견을 참고하기 때문인 것 같다. 하지만, 선한 하느님의 길을 지향하는 영적인 사람의 경우, 하느님이 바람을 더욱 들어주실 수 있다는 생각이 들었다. 그 동안 사주 명리학적 사고에 익숙해서, 나의 의지나 바람의 무력성에 대해서 나도 모르게 인식하고 있었던 것 같다. 하지만, 나는 특별하지 않은가. 특별한 능력으로 행복하게 살아가는 것은 반칙인가. 세상을 해롭게 만드는가. 그래서 이제는 사주 명리학적 지식을 멀리해야 한다고 말하는 것이다. 세상을 창조하고 만들어 가는 기도의 힘에 대해서 무시하게 만들기 때문이다. 어차피 일어날 일은 일어나고, 누구나 운명의 지배에서 벗어날 수 없다고 말하기 때문이다. 하지만, 나는 운명으로부터 자유로워졌다고 하지 않는가. 무의식을 의식화하는 데에 성공하고 있다고 말하지 않은가. 하느님은 지혜를 사랑하는 사람을 예뻐하신다고 하지 않았는가. 애초에 세상이 시스템으로만 된 것이 아니고, 인격신인 하느님이 주재하시는 세상인데, 기도를 하고 선하게 행동해서 사랑받는다면, 원하는 바람을 많이 들어주실 것이 아닌가. 죄를 짓고 살아가는 사람들은 믿음을 갖기 어렵고, 기도의 바람도 잘 이루어지지 않는 것이 아니겠는가. 나에게 주어진 특권을 거지처럼 차버리려고 하는가. 하느님이 나를 사랑한다고 여러 번 알려주시지 않았던가. 그렇다면, 나의 기도는 실현될 가능성이 높은 것이다. 처음에는 하느님께 바람을 간구하는 것이 아니라, 정해진 문구로 된 기도를 하는 것이 중요한가 하고 하찮게 생각을 했다. 좀 더 생각을 해보니, 하느님의 질서에 순종하는 자세와 충성하는 의지를 보여주는 활동이 그런 기도가 아니겠는가. 하느님은 널리 공정하시지만, 하느님의 길을 따라 선하게 살아가려는 사람들을 편애하지 않으시겠나. 오늘의 중요한 결론은 하느님이 사랑하는 길을 가는 이의 기도는 잘 이루어진다는 확신이다. 그동안 나에게 욕심이 없었던 것인가. 그래서 기도의 효과에 대해서 잊으려고 했던 것인가. 하느님이 나의 바람을 깊숙이 이해하시어, 기도하지 않아도 널리 세상을 이롭게 이끌어 주실 것이라는 믿음이 있었던 것 같다. 하지만 이제는 소소한 부분에서부터 기도해야겠다.

"기도의 중요성에 대해서 이제 알겠습니까. 당신에게는 아무런 문제가 없다는 것을 알겠습니까. 특수한 능력을 사용하여 반칙하는 것이 아닙니다. 그것은 당신의 소중한 능력이고, 당신은 마땅히 행복을 누릴 자격이 있습니다."

얼마 전 유튜브 영상을 통해서 나를 이해할 수 있는 내용을 만났다. 예민한 사람들에 대한 설명이었는데, 예민한 사람들은 자극에 대해서 깊이 받아들이고 공감하기 때문에, 사람들 사이에서 쉽게 지친다는 것이다. 그래서 홀로 휴식하는 자기만의 시간을 꼭 가져주어야 한다는 것이다. 사랑하는 것을 좋아하는 내가 사람들 속에서 그리스도인 다운 사랑을 실천하기보다, 사람들로부터 거리를 유지하려고 하는 것에 대해서 알 수 없는 죄책감이 들기도 했었다.

이상적인 그림으로는 내가 사랑의 전도사가 되어야 하는데, 여러 사람들과 어울리는 것이 왜 지치고 행복하지 않았던 것인가에 대한 이유를 알게 되었다. 그것은 개인적으로 예민한 성격특성 때문이라는 것이다. 봉사활동을 중단하고, 다시 새로운 봉사활동을 하려고 하지 않는 것을 두고, 나누고 사랑하는 마음이 없다고 할 수는 없는 것이다. 사랑을 주려면 나를 사랑할 수 있어야 하지 않겠나. 온전한 나의 시간 속에서 성찰하고, 길을 묻고, 글을 쓸 수 있어야, 그렇게 확보한 사랑을 주변에 나누어 줄 수 있는 것이다. 이렇듯 나는 많은 사람들을 만나고, 일정을 수행해야 하는 일반적인 대통령의 역할을 할 수가 없다는 것을 알겠다. 나의 가장 중요한 역할은 지혜이고, 지혜를 통해서 세상에 빛을 밝혀주는 것이 아니겠는가. 내가 세상을 사랑하는 방식은 이런 것이다.

새로운 질서는 어둠을 밝히는 빛을 통해서 오는 것이다. 며칠 전, 이 책의 제목인 '중요한 것'의 결론에 대해서 생각해 보았는데, '가장 중요한 것은 사랑이다.'라는 결론을 준비해 둔 것이다. 그것이 가장 이상적이고 보편적인 내용이 아니겠나 하고 말이다. 그래서 사랑을 주고받기 위해서, 사람들과 어우러지고 봉사하는 활동에 다시 참여하는 방식으로 마무리를 지어야 완성도 높은 작품이 되지 않겠나 하고 생각을 했다. 가장 중요한 것은 행복이고, 행복은 관계에서 온다. 관계는 인간관계도 있지만, 하느님과 나와의 관계, 나 자신과의 관계도 있다는 것을 생각해 본다. 물론, 이 세상이 나에 대해서 무조건적인 사랑과 안정된 시선으로 바라봐 준다면, 사람들과 어우러지는 활동에도 덜 지칠 수도 있을 것이다. 하지만 너무나 거대한 세상에 나를 선보인다면, 큰 변화에 적응하기 위해서는 필사적으로 동굴 속으로 들어가 생존책을 마련해 두어야 할 것이다. 나도 이 길은 처음이라 잘 모르겠다. 그래도 가장 중요한 것은 자유와 사랑, 그리고 행복이라는 결론이다. 자유롭게 살아가면서 사랑을 실천하고, 살아갈 수 있다면 정말 행복할 것이다. 그리고 내가 행복하기 위해서 살아갈 것이다. 내가 행복하면 하늘도 행복하여 국민들도 행복하다고 일러주었기 때문이다.

이제는 지난 5년을 마무리하며, 갑자 달을 앞두고 새로운 5년을 구상해야 한다. 다음 5년은 대한민국을 비롯한 세계에 새로운 질서를 구현해 내는 시간이 될 것이다. 출발점에 서 있는데, 일단은 내년 총선에서 진정한 국익을 생각하여 개헌을 바라는 세력들이 많은 의석을 확보할 수 있어야 한다. 그것이 중요하다. 국민들이 각성하여 새로운 세력들에 힘을 실어주고, 세력이 확장되는 것을 보고 싶다. 그래야 개헌을 이룰 수 있어서 안정적인 국가 지도자의 행복한 길이 열리는 것이다. 개헌이 되지 않는다면, 국가 지도자가 될 수 없다. 이제는 국가 지도자의 길을 행복으로 여길 수 있게 되었다. 국민들의 욕받이를 하는 머슴의 길이 아니라, 어둠을 밝혀주고, 세계 속에서 선도적 역할을 하는 지도자의 길은 너무나 행복할 것 같다. 중요한 것은 내가 행복해지는 일이다. 내가 행복해야 세상도 행복해진다. 나는 행복한 국가 지도자가 되어, 세상의 빛이 되고 싶다. 하느님 감사합니다. 저의 간절한 소원을 들어주십시오. 일단 정치적인 정보에도 관심을 가져라. 그것부터 해나가라.

 제가 북한의 지역에 핵을 대신해서 가야 하는지에 대해서 여러 번 생각을 해보면, 그 길이 정말 행복할지 지금으로서는 모르겠으나, 실행하지 못하면 너무나 무책임하고, 불행해질 것 같습니다. 그 길이 아니면, 원코리아가 되어 남북이 통합하는 데에 어려움이 있을 것 같습니다. 여러 번 알려주신 내용이라면 예정된 섭리이자 역사겠지요. 제가 태어난 이유는 문제를 해결해 내는 것입니다. 문제를 해결해 낼 수 있다면 국민들과 세계에 이로운 길을 가겠습니다. 대신 저와 함께 갈 수 있는 배우자를 보내주십시오… 북한의 지역도 빠르게 개발해서 전혀 이질감을 느끼지 못할 정도로 발전하게 도와주십시오…

"우주의 잘못을 너의 탓으로 생각하지 마라. 전쟁이나 혼란을 너의 탓이라고 생각하지 마라. 모든 것은 섭리 안에 있다."

그리스도의 정신으로

2023년 12월 7일

　중요한 것은 건강이다. 어제 미사에 가서 너무나 거룩해진 정신으로 인해 어려움을 겪었다. 에너지가 충분해야 하는 오전부터 그런 것을 보고, 미사 참여 횟수를 줄여야겠다는 생각을 했고, 어제 저녁 중요한 통찰과 함께 평일 미사는 나가지 않기로 했다. 내가 예수님의 거룩한 모습에 가까워졌다는 것을 깨달았다. 미사의 성체성사에 참여할수록 예수님의 모습을 닮아 거룩해진다는 말씀을 들었는데, 결국 차분하고 거룩한 정신을 평소에도 유지할 수 있게 되었고, 스마트폰의 정보에 의존하지 않아도 불안하지 않게 되었다. 처음에는 너무나 거룩해진 정신에 건강을 염려했지만, 오히려 성당에 열심히 다닌 목적에 가까워졌다는 생각이 들었다. 나의 경우, 그동안 정신적인 고난을 통해서 깨달음에 많이 다가간 정신이었기 때문에, 성당에 오래 다니지 않아도 거룩함에 이르기 쉬웠던 것 같다. 평일에 미사에 나가는 대신, 같은 시간에 걷기를 하고, 몸과 대화할 수 있도록 스트레칭에 집중하기로 했다. 아직 갑자 월이 시작되지 않았고, 지난 5년간의 활동을 마무리하는 계해 달인데, 이런 엄청난 결론에 이른 것이다. 새로운 질서를 위한 예수님의 모습을 갖출 때까지 이 세상은 나를 죽이려 할 것이라는 생각을 했는데, 결국 근본적인 안전함을 이루게 된 것이다. 성탄절을 기다리는 지금의 대림 시기는 예수님의 탄생을 축하하고, 다시 오실 예수님을 기다리는 시기라고 들었는데, 어째서 성탄절에 예수님이 오시는지 알게 된 것이다. 몇 달 전만 해도 나는 예수님의 모습이 아니었지만, 성탄절이 몇 주 남은 지금, 나는 보다 거룩해져 예수님의 역할에 가까운 세계관을 정립할 수 있게 된 것이다. 최근 아침에 일찍 일어날 때마다 행복한 묵주기도를 시작했다. 처음에는 낯설었는데, 할수록 마음이 평온해진다. 이제는 나를 지켜주시는 하느님을 더욱 느낀다. 참 감사하다. 지속적으로 기도하면 이루어진다는 그 단순한 믿음이 마음속에 스며든다.

지난 피정에서 들었던 강의에서 인상적이었던 내용은 성당의 신자나 사제들도 악할 수 있다는 것이다. 죄가 많기 때문에 성당 활동이 필요하여 열심히 다닐 수도 있기 때문이다. 누구나 죄인이라고 생각하니 마음이 편안해졌다. 성당에 열심히 다닌다고 모두가 거룩해지는 것은 아니고, 선행을 하고 나눌 수 있어야 진정한 구원을 받을 수 있다고도 말씀하셨다. 또한, 성경책은 실제 사건이 있었던 시점에서 몇십 년 지난 이후에 기록한 것이고, 틀린 부분도 있다는 말씀도 해주셨다. 그렇게 생각하니, 성경의 내용에 대해서도 더 열린 마음으로 탐구할 수 있을 것 같다. 그리고 당시 예수님이 등장하셨을 때 율법을 어기는 경우가 많았다고 하는데, 나 역시 기존 시각으로는 율법을 어겨 악해 보일 수 있겠다는 생각이 들었다. 새로운 것은 악해 보일 수 있기 때문이다. 그래서 새로운 생각에 대해서도 용기를 갖기로 했다. 고해성사를 받은 지 얼마 되지 않았음에도 하는 새로운 생각은 악마의 방해가 아니라, 빛이 될 수 있다는 생각이 든다. 하느님의 역사가 너무나 분명한 이 시대에는, 인류의 다양한 문화에 대해서 더욱 포용할 수 있을 것이라고 본다.

내가 지난 시간 동안 가장 중요한 사랑을 잃어버렸던 이유는 미래의 대통령 역할에 나를 맞추면서, 대상을 판단하고 분별하는데 유능한 모습이 되려고 했기 때문이다. 부족해 보이지 않기 위해서 애써왔기 때문이다. 그리고 가정의 자매 들에 대해서도 나도 모르게 냉정한 시선으로 대하다 보니, 사랑의 흐름에 문제가 생긴 것이다. 베풀고 주는 활동을 이어가야 영원한 사랑의 흐름을 탈 수가 있는 것인데, 그들을 판단하고 경계하려고 했다. 그래서 다른 인간관계에서도 어려움이 생겨났는지도 모르겠다. 하지만, 이제는 선거를 통해서 일반적인 대통령이 되어 역할을 할 수 없다는 결론에 이르렀고, 평가받지 않아도 영적 여정과 바보의 사랑만으로도 충분한 역할을 할 수 있다고 생각하자, 사람들에 대한 경계심도 풀리는 것 같다. 부족해도, 바보 같아 보여도, 어리숙해도 하느님과 함께 나아간다면 영향력 있는 지도자의 역할을 잘할 수가 있는 것이다. 나에게는 '지혜'가 있지 않던가. 앞으로는 조금 바보 같고, 손해를 보더라도 모든 것에 대해서 사랑을 베풀어 줄 것이다. 삶의 한순간이라도 사랑을 놓친다면, 끝없는 어둠의 늪으로 빠져들고 말 것이다. 사랑은 나의 구원책, 나는 사랑을 베푸는 것만으로 모든 문제가 해결됨을 느낀다. 나는 역할에서 해방되었고, 다시 자유가 되었다. 든든한 하느님이 나를 인도해 주시기 때문이다.

2023년 12월 10일

내 책이 잘 팔리지 않는 이유를 알게 되었다. 어떤 사람이 나의 비전에 대해서 알게 되어도 그것이 널리 퍼지지 않는 이유는, 그 정보가 경제적 투자와 밀접한 연관이 있기 때문인 것 같다. 가까운 미래에 통일이 된다는 비전이기 때문에 주식과 부동산에 강력한 영향을 줄 수 있어, 정보를 알게 되더라도 홀로 알고 있으려고 할 수 있다는 것이다. 일반적인 사람들이 비전에 공감하기는 어렵고, 미래에 대한 비전을 갖고 있는 사람이라고 하더라도 그 정보를 홀로 알고 투자를 통해 이익을 얻고 싶어 할 수 있다는 것을 알겠다. 그래서 자신의 통찰로 생각하고 판단할 수 있는 사람만이 나의 비전에 대해 공감할 수 있겠다는 생각이 든다. 그렇지만 하느님, 이제는 저의 책이 널리 알려지고 판매되는 것을 허락해 주십시오. 저에게도 행복한 시간을 허락해 주십시오. 성공으로 가는 과정이 가장 행복한 것이란다. 현재를 즐기거라.

 어제는 천주교 일원동 성당 설립 30주년을 맞이해서 약 70명의 신자들이 목에 붉은 스카프를 두르고, 양재천 걷기를 했다. 출발하여 성당에 다시 돌아오는 데까지 두 시간 정도 걸렸는데, 다른 자매님들과 소통할 수 있어서 좋았다. 전부터 예비자 교리 봉사를 제의했던 자매님이 내가 봉사를 하는 것으로 알고 계셔서, 분명히 하기 어렵다는 말씀을 드렸다. 이미 정신이 상당히 거룩해져서 성당에서 보내는 시간을 줄여야겠다는 생각을 했기 때문이다. 나는 오래전 정신적 건강의 문제를 겪은 이후로 이성적인 의지와 판단으로 나의 길을 선택하더라도, 운명이나 신체적 한계로 인해서 좌절되거나 빠져나와야 하는 상황이 많이 생겼다. 그래서 쉽게 무언가를 하겠다고 참여하는 것에도 부담을 느낀다. 봉사를 다시 시작했다가 중단한다면 성당에 나가기 어려울 수 있기 때문에 신중한 선택이 필요했다. 무엇보다 나의 운명적 특수성과 큰 변화의 시기로 인해서 자기 경영에 어려움을 겪을 수 있겠다는 생각이 들었다. 내가 예민하여 외부 자극에 에너지 소모가 너무 크다는 것을 알았고, 가장 나답게 살아가는 길이 무엇인지도 알게 되었다. 의사 선생님의 말씀을 참고하여 매일 가는 미사를 줄이고, 걷기와 체조에 집중하여 하체를 강화하고, 체력을 더 길러야겠다.

천주교 신앙에 공감하면서도 완전히 나를 맡기기는 어려운 것은 종교가 궁극적으로 믿는 것이 구원을 받는다면 죽음 이후에 하느님을 기쁘게 만난다는 것이기 때문이다. 종교에 충실하다는 증거로 기쁘게 죽는 길을 권장하고, 지향할 수 있기 때문이다. 나는 하느님을 믿고 사랑하며 내가 가는 길을 좋아하지만, 인생에서 행복을 누리면서 살고 싶다. 빨리 죽어서 하느님을 일찍 만나 뵙고 싶지는 않다. 그래서 종교에 너무 빠지는 것은 경계하려고 한다. 나도 모르게 죽음이 기쁜 것이라는 생각을 강력하게 받아들일 수 있다면, 가족들이 슬퍼할 것이기 때문이다. 나는 인간적인 삶을 사랑한다. 너무 잘하지 않아도 인간적으로 이해해 주는 사회가 좋다. 누구나 부족함을 안고 살아가기에, 협력하고 연대하며 문제를 해결해 가는 방식도 사랑스럽다. 행복은 관계에 있다는 것을 더욱 느낀다. 하느님을 진정으로 믿는다면, 죽음의 길을 안내하더라도 나를 내어주어야 한다는 것일까. 죽음을 좋아하지 않는다는 것을 하느님에게 전한다면, 인생에서 행복을 누리는 삶을 오래 허락해 주실 것 같다.

왜 잊었느냐. 하느님이 너를 죽이지 않겠다고 말씀하지 않으셨는가.
하느님을 믿어라.

오늘 미사의 독서에서 예루살렘이 죗값을 다 치렀다는 말이 나오
는데, 전쟁이 끝날 수도 있겠다. 이것은 시기를 고려한 하느님의
말씀이기 때문이다.

'예루살렘에게 다정히 말하여라. 이제 복역 기간이 끝나고, 죗값이
치러졌으며, 자기의 모든 죄악에 대하여 주님 손에서 갑절의 벌을
받았다고 외쳐라. 한소리가 외친다. "너희는 광야에 주님의 길을 닦
아라. 우리 하느님을 위하여 사막에 길을 곧게 내어라. 골짜기는
모두 메워지고, 산과 언덕은 모두 낮아져라. 거친 곳은 평지가 되
고, 험한 곳은 평야가 되어라. 이에 주님의 영광이 드러나리니 모
든 사람이 다 함께 그것을 보리라. 주님께서 친히 이렇게 말씀하셨
다." 기쁜 소식을 전하는 시온아, 높은 산으로 올라가라. 기쁜 소식
을 전하는 예루살렘아, 너의 목소리를 한껏 높여라. 두려워하지 말
고 소리를 높여라. 유다의 성읍들에게 "너희의 하느님께서 여기에
계시다." 하고 말하여라. 보라, 주 하느님께서 권능을 떨치며 오신
다. 당신의 팔로 왕권을 행사하신다. 보라, 그분의 상급이 그분과
함께 오고, 그분의 보상이 그분 앞에 서서 온다. 그분께서는 목자
처럼 당신의 가축들을 먹이시고, 새끼 양들을 팔로 모아 품에 안으

시며, 젖 먹이는 어미 양들을 조심스럽게 이끄신다.'
(이사야서 40,2-5.9-11)

2023년 12월 17일

 사랑이 가장 중요한 것이기 때문에 사람들과 거리를 두려 한다는 것을 깨달았다. 그들을 사랑하기에 널리 사람들을 이롭게 하기 위한 역할을 잘 수행하기 위해서 나만의 방식과 전략으로 살아가려 한다는 것이다. 적당한 거리를 유지해야 세상을 사랑할 수 있는 에너지가 확보되는 것이다. 가족관계 안에서 사랑을 확인할 때 가장 행복해진다는 것을 깨달았다. 나의 지식과 지혜로 누군가에게 도움이 될 수 있다면 너무나 행복해지는 것이다.

 한동안 감기로 고생을 해서 성당에는 갈 수 없었다. 주말에 두 시간 걷기 행사 후, 어머니 김장을 돕느라 쉬지 못해서 체력이 떨어졌나 보다. 나는 작은 죄라고 생각했는데, 그것 때문에 벌을 받은 것 같기도 하다. 무슨 죄인지 밝히지는 않겠다. 이번 경험으로 인해서, 큰 에너지를 동반하여 가는 사람은 작은 죄도 짓지 않고, 자신의 기와 에너지를 잘 관리해 나가야 안전하다는 생각이 든다. 큰 책임을 동반하는 역할을 맡아놓고, 몸이 아프다며 그만둘 수 있다면 어느 누가 기회를 주겠는가. 확실히 나이 마흔을 앞두고, 지난 몇 년간 세상을 구하기 위해서 적대적 대상들과 싸우느라 체력이 떨어진 것 같다. 하지만, 이제는 체력이 강하지 않아도, 싸우지 않고도 이기는 방법을 터득했기 때문에 큰 걱정을 하지는 않는다. 나는 든든한 '주의 날개' 밑에서 안심하며 여정을 걸어 나가는 그리스도인이지 않은가. 하느님은 나의 구원자, 세상의 죄를 없애는 해법을 내 안에 감추어두셨네. 성당에서 접한 많은 거룩한 문구들이 나의 인식 체계를 보호해 준다. 내가 추구하는 정신이 과하지 않다고 말씀해 주는 것 같아서 기분이 좋다. 내가 모든 역사를 감당하고 끌고 나가는 것이 아니라, 하느님이 나를 도구로 사용하시어 함께 이끌어가는 역사라는 사실이 기쁘다. 그동안 내가 겪어왔던 수많은 상처와 고통이 세상을 이롭게 하는 명약이 되었다는 사실이 너무나 기쁘다. 나는 하느님 안에서 평화를 누리네. 많은 사람들도 그럴 수 있다면 얼마나 좋을까.

대한민국에서 국민들을 사로잡을 인재를 찾고 있는가? 인재를 데려와도 항상 같은 결과가 나오는 이유를 생각해 보라. 인재가 없는 것이 아니라, 인재가 뜻을 펼칠 수 있는 환경이 갖추어지지 않아서 항상 실망을 주는 것이다. 질서만 바로잡힌다면, 인재들이 너무나 많아질 것이다. 세상을 구원하는 그 질서를 간절히 바라고 염원한다. 이 세상 모든 문제를 해결할 수 있는 새로운 질서의 도래만이 가장 중요한 것이다.

2023년 12월 18일

"길을 잘 모르겠다고? 자신을 낮추고, 주변에 사랑을 실천하며 살아. 그게 가장 중요한 것이야."

2023년 12월 22일

국민들은 지도자가 얼마나 유능한지보다 국민들을 얼마나 사랑하는지를 중요하게 생각한다는 글을 보았다. 그 구도는 마치 양자택일을 해야 하는 것처럼 보이고, 지도자는 완벽해야 한다고 말하는 것 같다. 하지만, 이 시대에 국민들에게 필요한 지도자는 유능해야 한다고 생각한다. 우리를 가로막고 있는 강력한 벽과 같은 거대한 문제를 해결하기 위해서는 접근 방식 또한 초월적이어야 한다고 생각한다. 현재 국민들에게 필요한 지도자는 완벽하지는 않아도 정확한 문제 해결을 위한 비전을 갖고, 국민들을 이끌 수 있는 자여야 한다고 생각한다. 이미 많은 정보들로 인해서 국민들의 정치 수준은 세계적인 관점으로 변화되었다. 자기 사랑이 지나쳐서 그 힘으로 큰 문제를 해결할 수 있다는 것을 보여주고 싶다. 중도층을 비롯한 대부분의 국민들은 같은 문제의식을 갖고 있을 것이다. 그들은 대한민국의 근본적인 문제를 해결할 수 있는 길을 선택할 것이다. 게다가 해외에서도 도와준다면, 더욱 안정적으로 그 길을 응원할 수 있으리라고 생각한다.

최근 감기 후유증으로 활동을 자제하고 있다. 내가 유능하다고 생각하여 모든 문제를 감당하려고 할 때마다, 현실을 알려주기 위해서 질병을 주시는 것 같다. 이와 같이 나는 높은 정신을 추구하지만, 육체적인 한계에서 벗어날 수 없는 인간이라는 것을 알려주시는 것 같다. 내가 더 큰 세계를 감당할수록 정신적인 스트레스가 클 텐데, 그것이 염려된다. 국가 지도자의 비전을 보여주지만, 적극적으로 행동할 수는 없어서 기대를 저버리게 된다면 어쩌나 하는 생각이 든다. 하지만, 나는 하늘로부터 문제 해결의 단서를 부여받은 자이지 않은가. 내 목숨이 붙어있는 한, 내가 북한의 지역으로 가서 핵의 역할을 하고, 비핵화를 이끄는 것이 현재로서는 가장 현실적이다. 지식에 밝은 똑똑한 정치인들은 이런 나의 구상이 만화 같고, 장난 같다고 폄훼할지는 모르겠으나, 인간은 누구나 자신이 경험한 범위 안에서 판단을 내리기 때문에 한계가 많은 것이다. 상상력과 만화 같은 구상으로 문제를 해결해 본 적이 없기 때문이다. 무종교인이 대부분인 대한민국에서 이런 신화적인 상상을 가지고 문제를 해결해 본다는 것이 참으로 난감하다. 하지만, 세계의 변화는 성령님이 하시는 일이다. 내가 문제를 끌어안고 몰두하며 글을 다듬는 동안에, 우리 국민들은 어떤 계기를 통하여 진정으로 국가의 문제를 해결할 수 있는 창의적인 해법에 마음이 쏠릴 것이다.

하늘이 그런 길을 준비하고 있기 때문이다.

"사랑할 수 있는 능력이 궁극적으로 가장 유능해지는 길이란다. 사랑이 바로 능력이란다."
"사랑한다는 것은 타인을 내 마음대로 지배하려고 하지 않지. 타인을 있는 그대로 사랑할 수 있어야 하는 것이란다. 그래서 모두가 자발성을 발휘할 수 있다면 그들도 세상을 사랑할 수 있을 것이다."

겸손과 사랑을 지켜나가기 위해서는 에고를 강화하는 쾌락을 너무 추구해서는 안 된다는 생각이 든다. 대수롭지 않게 생각했는데, 건강에 직결될 수 있겠다는 생각도 든다. 큰 에너지를 관리하는 방법은 너무 좋은 것, 지나침을 멀리하는 것이구나. 다시 처음으로 돌아왔지? 나를 비워서 상대에게 맞추고 섬기면서 행복하게 살아. 단, 너무 무책임하게 바보 연기를 하지는 말고. 1월까지 글을 마무리하고 2월에 발표하기로 했다. 내면의 인도가 있었다. 내일부터 날이 풀리면 다시 운동을 시작하자. 성당에 가는 대신, 운동하는 시간을 갖는다면 몸에 좋을 것이다. 무엇이든지 너무 열심히 하지 마라. 에너지를 잘 관리하고 자신을 소중히 지켜라.

2023년 12월 23일

 이전에 하느님께서는 힘이 없다고 생각하고 살아가는 것이 안전하다고 일러주셨는데, 힘이 있다고 생각하고 지냈기에 어려움이 생겼던 것 같다. 나는 기계가 아니기 때문에, 각종 생활환경 속에서 힘이 있다고 생각하게 만든다면, 자연스럽게 심판의 마음을 갖게 되기도 하는 것 같다. 힘이 없다면 그런 마음을 갖지 않고 상대를 이해하고 사랑하며 살아가기에 더 수월할 텐데, 힘을 각성하지 않으면 무책임하다고 바라볼 사회의 시선이 두려웠나 보다. 살아보니, '힘이 있다'와 '힘이 없다'의 양극단 사이에서 적절하게 균형을 잡으면서 살아가야 할 것 같다. 힘이 없다고 생각하면 사회에서 살아가는 책임성을 갖기 어렵고, 힘이 있다고 생각하면 교만해지고 심판의 마음이 생기기 때문이다. 앞으로도 힘의 각성으로 인하여 곤란한 상황이 오지 않으리라고 생각할 수 없다. 그래도 괜찮다. 그렇다면 약간의 문제가 발생하여 우주가 브레이크를 걸어줄 것이기 때문이다. 이미 힘이 있다는 것을 알고 있으니, 힘을 강력하게 추구하지 않게 되어 극단으로 가는 길을 막을 수 있고, 힘이 없다고 자신감을 잃어버릴 위험도 없다. 그렇게 희미한 길을 조용히 걸어나가면 될 것 같다. 나는 외부 자극에 매우 민감하기 때문에 감당해야 하는 세계가 너무나 확장되는 것은 두려운 일이다. 다음 달에는 가까운 건강 센터에서 필라테스 수업을 등록하기로 했다. 스트레칭 수업을 받으면서 몸을 단련시켜야겠다.

24일 주님 성탄 대축일 밤 미사에는 꼭 가야겠다. 미사 시작 전에 성탄 음악회도 한다고 하니, 더 행복하고 거룩한 시간이 될 것 같다. 12월이 계묘년 병화 일간에게 가장 힘들 수 있다는 월 운을 보니, 이러한 고통도 시나리오 안에 들어있다는 생각으로 위로가 된다. 모든 것이 더 나아지기 위한 과정일 것이다. 내일은 크리스마스를 맞이해서 산타클로스처럼 붉은 점퍼와 청록색 바지에 고동색 부츠를 신고 미사에 참석해야겠다. 메리 크리스마스의 뜻은 '기쁜 그리스도의 미사'라는 뜻이라고 한다. 그래서 내일은 태어나서 처음으로 진정한 '메리 크리스마스'가 될 것 같다.

집에서 가까운 곳에 있는 건강 센터는 도산 안창호 선생이 독립운동을 위해 설립한 흥사단이라는 단체에서 운영하는 곳이라고 하니, 더욱 사명감을 갖고 몸을 단련하는 데에 집중해야겠다. 고등학교에 다닐 때 온라인 커뮤니티에 일기를 쓰다가, 강력한 영감으로 불현듯 '독립협회'를 떠올린 적이 있었다. 그때는 내 인생이 아무런 의미도 없이 공부만 하고 있었기 때문에, 그 강력한 느낌을 무시하곤 했지만, 지금 생각해 보면 미래의 어느 지점에 잘 역할 하게 하기 위해서 신호를 준 것 같다. 당신은 독립협회의 정신을 이어받아, 독립된 국가를 만들 소명이 있다고 조상님이 말씀하신 것 같다. 그동안 체력을 제대로 연마하지 못하여 죄송합니다. 돈을 절약하려는 얄팍한 마음을 물리치고, 체력을 연마하는 데에 진지한 마음으로 살아가겠습니다. 하느님, 이런 저의 마음이 흔들리지 않도록 이끌어 주소서. 저는 강한 체력을 가져야 합니다. 그래야 소명을 안정적으로 완수할 수 있습니다. 저에게 힘을 주소서. 단지 체력을 기르고, 사랑을 실천하며 살아가는 것만으로, 온 세상이 행복해지는 기적을 보여주십시오. 운동이 저에게 새로운 종교의 역할을 할 수 있도록 이끌어 주소서. 아멘.

2023년 12월 25일

오늘은 기쁜 성탄절이었다. 어제는 오전 미사 후, 성탄 전야 미사에서 음악회가 있었고, 오늘은 오전 미사 후, 오후에 시간 전례도 다녀왔다. 음악회에서 합창단의 공연이 있었는데, 너무나 아름답고 감동적이었다. 태어나서 이렇게 의미 있고, 감동적인 성탄절은 처음인 것 같다. 기온이 따뜻해졌고, 눈이 와서 더 좋은 크리스마스였던 것 같다. 나는 요즘 혼란 속에서 해답을 구하며 지내고 있었다. 거룩해지는 정신으로 인해 성당에 나가는 횟수를 줄여야 한다는 생각과 성당에 나가서 공동체를 지켜야 한다는 의무감 사이에서 갈등하고 있었다. 일시적으로 지나치게 거룩해질 수 있다고 생각하기도 하지만, 근본적으로 건강을 단련해 가야 한다는 메시지로 읽

한다. 그래서 다음 달에 건강 수업을 등록하고, 운동에 더욱 집중하는 시간을 보낸다면, 건강이 좋아져서 성당에도 자연스럽게 나갈 수 있지 않을까 싶다. 또 한 가지 역사적인 일이 있었다. 이것은 성탄의 선물 같기도 한데, 그동안 타로와의 모든 인연을 청산하기로 결정한 것이다. 최근 감기가 왔던 것은 시기적으로 절묘하게 유튜브에서 타로 영상을 보고 난 후 그렇게 되었다. 고해성사를 본지 오래되지 않은 시기였는데, 습관적으로 영상을 본 것이다. 하지만, 전처럼 나에게 맞는 해석이 나오지 않았다. 이것은 이제 기해년부터 시작되었던 타로와의 인연을 정리하라는 의미로 보인다. 점을 치는 것은 십계명을 어기는 것이라 대죄라고 한다. 영성이 깊어질수록, 하느님과의 관계가 긴밀해지면서 전에는 문제없이 어겼던 행동도 가로막히는 것이다. 하느님이 나를 믿고, 사랑을 주시는 만큼, 기대가 크신 만큼 더욱 조심해서 살아야 하는 것이다. 그래서 열 개가 넘는 아름다운 타로카드들을 중고장터에 내놓으니, 기분이 좋다. 기해년부터 타로 유튜브 영상을 보기 시작하면서 나의 정신을 상징하는 갑목의 독립성이 손상되었다고 생각했는데, 이제 어둠이 걷히고 갑목이 되살아나 제정신을 찾아가고 있어서 그런지, 유튜브나 타로, 사주 등으로부터 지배받지 않는 자유로운 정신으로 거듭나고 있는 것 같다. 오늘 미사에서는 유튜브 타로 영상을 본 것에 대해서 하느님에게 용서를 구했다. 그래서 나의 건강이 다시 회복되기를 기도하였다. 이런 기적들을 경험하면서도 하느님의 현존을 외면할 수 있어? 너의 시간을 가꾸어 가면서 소중히 살아. 이미 너의 몸과 정신이 성전이야. 하느님을 잘 모시고 살아야지. 함부로 살면 안 돼. 하느님이 성탄절이라 기쁘셨는지 미사를 통해서 용서해 주신 느낌이다.

이제 다음 책의 편집을 구상하면서, 내가 걸어온 길이 천주교의 교리를 너무나 어기고, 이 사회에 좋지 않은 영향을 끼치면 어쩌나 하고 생각했는데, 어둠 속에서 걸어 나오듯이 일치된 길로 인도되고 있는 것 같아서 다행이다. 나는 단지 내 안에서 벌어진 진실을 기록해 나갈 뿐이다. 내 마음 같아서는 성당의 사람들에게도 사랑을 더 전해주고, 함께 시간을 더 보내고 싶지만, 역사와 세계를 조망하고, 세상에 나가야 할 시간을 준비해야 한다는 생각이 드는 것은 어쩔 수 없다. 지혜의 인도를 받는다면 두 가지 다 잘할 수 있다고 하셨다. 어쩌면 내가 육체적으로 건강하지 않아서, 체력단련을 게을리해서 그동안 문제가 일어난 것일 수도 있다. 정신과 육체는 연결되어 있기 때문이다. 아무리 생각해도 큰 변화에 대처하기 위해서는 하느님과 소통할 수 있는 여백의 시간이 필요하다. 그래서 나의 여유 있는 시간은 적절하다고 본다. 하느님, 제가 건강을 더욱 회복하고, 성당 활동도 적당히 하면서, 한국의 새로운 정치질서에 기여할 수 있도록 도와주소서. 제가 낮은 자세로 사람들을 섬기며 겸손하게 살아갈 수 있도록, 나쁜 습관은 버리고 좋은 습관들로 채울 수 있도록 도와주소서. 그리고 제가 오래도록 성당에 다니면서 신앙생활을 할 수 있도록, 저의 정신이 지나치게 거룩해지는 것을 막아주소서. 제가 건강하고 행복하게 살아갈 수 있도록 도와주소서.

2023년 12월 27일

최근 들어 확실히 존재가 강화되어 정신을 느리게 존중하지 않을 수 없게 되었다. 잠에서 깨어날 때에도, 누웠다가 자리에서 일어날 때에도 머리를 받들어야 하는 일이 자주 있는 편이다. 나에게서 존재가 더 강하게 작용하는 만큼, 나 역시 존재를 존중해 주어야 한다는 의미 같다. 하느님의 신호와 메시지를 중요하게 여기면서 순종하고 따라야 한다는 의미로 보인다. 자연스럽게 나의 비전이나 전략도 느림과 충실함을 필요로 하고 있으니, 시기적절하다고 보아야 할 것이다. 그래서 유튜브나 인터넷 글들도 아무것이나 함부로 보지 말자는 생각이 든다. 내 삶에서 존재의 영향력이 커질수록, 언제나 나와 함께 하시는 그분을 잘 모시고 살아야 한다. 이런 조심스러움과 불편함이 나의 태도를 한층 성숙하게 만드는 것일지도 모른다. 생각도 더욱 조심하고, 고해성사에서 다짐했던 죄를 다시 반복하지 않기 위해서 천천히 노력해 가야 한다.

최근 사랑이 가장 결정적인 능력이고, 중요한 것이라는 결론을 내렸다. 그럼에도 그 결론에 대해서 주저하는 이유는 너무 사랑하면 일찍 죽을 수 있다는 생각 때문이다. 인간에게 에너지는 한정되어 있고, 인간을 너무 사랑하면 희생하려고 하기 때문에 빨리 죽을 수 있을 것 같다. 그것은 하느님을 진정으로 믿지 못한다는 것일까? 이미 예정된 시나리오가 있잖아. 설사 사랑하면서 살다가 죽으면 그것 또한 영광이고, 하느님을 만날 기회가 될 것이기에 좋은 것이라고 봐야 할까? 가능하면 가장 일찍 이런 이치를 깨쳐야 하는 것일까? 내가 부족한지 모르겠지만, 현재로서는 받아들이기 어렵다. 나의 믿음이 강하지 않은가 보다. 하느님을 만나 뵙는 것이 기쁜 일일지라도 이미 현실에서 하느님과 잘 소통하고 있으며, 가장 중요한 소명을 완수할 때까지 나의 건강은 지켜져야 하는 것이다. 에너지를 지키기 위해서 사랑을 절제할 수 있는 능력을 나에게 주신 것도 하느님이 아닐까. 나는 사랑이라는 가치를 좋아하고, 그에 헌신하고 싶은 것은 사실이지만, 소명과 건강을 버리면서까지 타인을 위해서 나를 내어주고 싶지는 않다. 그러나 만인을 사랑하려는 지향을 갖고 살아야 국민들에게 이로운 역할을 할 수 있기에 가장 유능해진다는 것을 알겠다. 무심한 태도를 갖고, 너무 좋아하지도 싫어하지도 않으며, 인간들을 용서하고, 사랑하며 살아가는 것이 나의 소명일 것이다.

2023년 12월 28일

 이 세상 지도자들의 발언에 상처받는다. 그들은 국민들의 의견을 대변하는 것이겠지. 아직도 그렇게 왕권에 대해서 거부감을 갖고 있는가? 한국 사람들은 무의식적으로 주체가 바로 서지 못하는 것을 미덕으로 하는 교육과 사회질서에 적응한 것 같다. 그래서 무조건 왕권은 성역이며, 굉장히 공정하지 못한 것으로 여기고 있는 것 같다. 안타깝게도 나의 길은 밥벌이를 위한 길은 아니어야 한다. 처음에는 밥벌이에도 신경을 썼으나, 나의 본질적인 시스템은 하느님이 관장하시고, 그 길을 가야만 하는 것이다. 그 길에서 죽음이 기다리고 있더라도 나는 순종해야 하는 것이다. 그렇게 생각하니 욕심이 사라진다. 나에게는 국가의 질서를 확립하는 것이 가장 중요하기 때문에, 왕권이라는 단어에 거부감이 없다. 한국의희망이 87년 체제를 극복하기 위해서 발표한 정책 구상에도 왕권이 아니라, 대통령제하에서 책임총리의 권한을 대폭 강화하는 것으로 하고 있다. 하느님은 분명히 임금으로 북한에 가서 핵의 역할을 하라는 느낌을 여러 번 주셨는데, 이 세상은 그에 동의하지 않는 것 같다. 나의 아이디어가 널리 알려지기 전이기 때문에 아직 상심하기는 이르다. 내가 걸어가는 길이 가시밭길로 느껴진다. 그동안 강대국들이 한국 국민들에게 독립적으로 바로 서지 못하도록 한계적인 많은 생각들을 주입한 것 같다. 하지만, 모든 국민들이 그렇게 생각하는 것은 아닐 것이다. 나의 못된 마음으로는 나의 존재에 세상이 감사하지 않는다면, 나의 역할을 수용하지 않는다면, 국가가 바로 서지 못하고, 부흥하지 못했으면 좋겠다. 그런 마음도 곧 흩어질 것이다. 이 세상은 나에게 무엇을 가르치려는 것일까.

"너는 국민의 한 사람이다. 대통령이 아니다. 그래서 마음껏 자유롭게 주장하고, 표현하라. 국민에게는 특권이 있다. 국민이 주인이지 않은가. 권력을 향해서 나아가는 국민은 정당하다."

 이렇게 거룩해진 정신을 두고, 왜 슬픈 것인가. 천주교와 성당이 추구하는 목적 중 하나는 인간을 거룩하게 양성하는 것이 아닌가. 그렇다면 그들은 성공한 것이다. 나 역시 처음에 거룩해지고자 했던 욕망을 실현한 것이다. 하지만, 결론에 이른 후에는 언제나 이별과 새 출발이 예정되어 있는 것이다. 그동안 적극적으로 참여했던 성당 일정에 거리가 생기는 것이다. 행성의 움직임에 따라, 일시적으로 의식이 확장되는 것일 수도 있기 때문에 좀 더 지켜보고자 하지만, 내가 거룩해졌다는 것을 느낀다. 교만한 생각일 수도 있지만, 주일미사에 참여하더라도 영성체는 하지 않는 게 좋겠다는 생각도 든다. 신부님의 말씀과 노래로 기도하며 미사 드리는 시간이 좋기 때문에 성당에는 지속적으로 나가고 싶다. 이 역시도 내면의 신호가 온다면, 중단해야 할 수도 있다. 나는 이렇게 언제나 내 마음대로 할 수가 없이 거대한 힘의 조종을 받고 있는 운명이기 때문에, 함부로 사람들에게 정을 주는 것도 조심스럽다. 예상할 수 없는 순간에 이별해야 하기 때문이다.

2023년 12월 30일

 최근 유튜브 영상을 통해서 권력자가 부패하는 것은 인간의 본능이라는 것을 알게 되었다. 나에게 힘이 있다는 것을 자각하고 산다면, 에너지 소모를 최소화하기 위해서 처음과는 다른 삶의 방식으로 살아가게 된다는 것이다. 그래서 내가 왕권을 지향할수록, 이 세상이 반대하는 듯한 느낌을 가졌나 보다. 사람들은 나의 권력이 너무나 커지는 것이 위험하다고 느꼈나 보다. 권력은 실질적으로 서열이 높거나, 중요한 정보를 많이 가졌거나, 대중들에게 인기가 많거나, 선택할 수 있는 대안이 많을 때 생긴다고 한다. 인간은 권력을 맛보기 시작하면, 뇌의 구조가 변한다고 한다. 권력을 가져서 사람들의 눈치 볼 필요가 없다면, 불필요한 에너지를 소모하지 않기 위해서 자기 본위적으로 행동하게 되고, 부패해질 수 있다는 것이다. 그렇다면 모든 리더가 권력을 가진다면, 부패해지는 것일까? 권력을 가지고 있다는 것을 스스로 의식하지 않으면 부패해지지 않는다고 한다. 그래서 하느님이 힘이 없다고 생각하고 살아가는 것이 안전하다고 하신 것이구나. 그래서 이 사회가 부패해지는 나를 막기 위해서 권력을 빼앗는 느낌을 주었던 것이구나. 그래서 나에게 왕이 아니라, 단기 대통령의 위치를 바라는 것이구나. 하지만 여기서, 나로서는 곤란해진다. 하느님은 내가 여왕이 되는 것을 기대하시는 것 같기 때문이다. 하느님의 의도가 명확한 세상에서 힘을 의식하지 않고, 지도자 역할을 할 수 있는 길이 해법이 될 것이다. 그것은 내가 왕이 되어도 실질적으로 행사할 수 있는 권력이 약해야 하는 것이다. 욕심을 부리다가는, 부패하여 실패한 지도자로 전락하고 말 것이다. 하느님이 나에게 왕권을 주시고, 북한의 지역으로 가서 문제를 해결하는 역할을 준비하고 계신다면, 앞으로 국민들의 마음을 움직여 정치인들에게 영향을 주실 것이다. 권력을 의식하지 말고, 인간들을 돕고 섬기면서 살아라.

서태지 세대가 국가의 주도 세력이 되었다는 기사를 보았다. 1969년부터 1980년생까지 당시 문화 대통령이었던 가수 서태지의 영향을 많이 받았다고 한다. 대략 40대에서 50대 중반까지 크게 영향을 받은 것 같다. 서태지의 많은 곡들이 있지만, 그중, 교육제도를 바꾸어야 하고, 평화 통일을 이루어 국가를 독립시켜야 하고, 자유롭게 한 분야에 미치라는 메시지가 기억에 남는다. 나는 85년생이지만, 초등학교 때부터 서태지 음악에 영향을 크게 받아, 당시 처음 만든 아이디도 ttaaiijjii로 정해서 30년에 가까운 세월 동안 동일하게 쓰고 있다. 이것은 인연이었는지, 정신을 차려보니 나 역시 서태지의 지향점을 주장하고, 소명으로 여기며 살아가고 있지 않은가. 그렇다면, 서태지의 문제의식과 지향점을 지지하는 사람들이 주도 세력이 되었으니, 내가 가는 정치적인 길에 크게 공감하고 지지해 줄 것이 아닌가. 이렇게 하늘의 덕이 새롭게 내려올 때는 온 세계가 한마음 한뜻이 되는 것이다. 하느님, 감사합니다.

2023년 12월 31일

오늘은 영성체하지 않고, 일주일 만에 주일미사에 참여했다. 그럼에도 미사에 참여하는 동안 거룩해진 정신으로 인해서 불편함을 느꼈다. 이것에 대해서 마귀가 나를 성당에 다니지 못하게 하기 위해서 시험에 들게 한 것이라는 말을 들었다. 영적으로 맑은 사람은 신앙의 성장 단계에서 그런 시험을 겪을 수 있다고 한다. 그럴수록 하느님께 묵주기도를 하고 이겨내야 한다는 것이다. 예수님과 닮아 거룩해져서 종착역에 도착한 것이라는 생각은 지나친 생각일까. 나는 또다시 과대망상의 범주로 불릴 것인가. 내가 가는 모든 길은 상식의 관점에서 과대망상의 길이다. 과대한 상상을 하며 오랜 시간을 보냈더니, 망상이든 상상이든 별로 중요하다는 생각이 들지 않는다. 사회가 받아들인다면 창의적인 상상이 되고, 받아들여지지 않으면 망상이 된다는 차이밖에 없기 때문이다. 나는 이제 어떻게 해야 하는 것일까. 한동안 성당에 전혀 나가지 말아야 하는 것일까.

시간이 지나면 컨디션도 좋아질까? '정신적인 활동이 과해서 무리이다.' '정신의 활동을 신체가 받쳐주지 못한다.'라는 결론이 타당하지 않은가. 과거에도 그런 이유로 공황증이 오지 않았던가. 아무리 생각해도 나는 운동에 집중해야 한다. 설사 마귀의 방해라고 해도 하느님은 자유의지를 존중하시기 때문에 괜찮다. 어떤 과정이 필요할 수 있기 때문이다. 오랜 시간 나를 진료해 주신 의사 선생님이 가장 나를 잘 아시지 않겠나. 하느님, 저는 이제 성당에는 나가지 않는 것이 좋겠습니까? 천천히 해답을 주십시오.

나에게는 너무 잘하려고 하는 것이 독이 된다. 정신과 신체적 조건에 한계가 있기 때문이다. 나는 매우 예민하고, 영적인 기질을 타고났기 때문에, 작은 자극도 크게 받아들여 에너지 소모가 크다고 했다. 그래서 너무 사랑하는 것도 금지다. 주변 사람들을 너무 사랑하다 보면, 스마트폰을 통한 소통에 과도하게 집중하여 눈과 정신의 건강이 나빠질 수 있다. 주변 사람들의 기대에 부응하기 위해서 요구 조건을 모두 들어주려고 하다 보면, 병이 올 것이다. 너무 열심히 기도하거나 매일 미사에 참여하다 보면, 정신적으로 무리가 올 것이다. 너무 책임감을 갖고, 세상의 모든 문제를 다루려고 하다 보면, 스트레스로 몸과 정신이 망가질 것이다. 운동을 해서 체력을 단시간에 길러 보겠다고 너무 무리해서 걷다 보면, 몸살이 올 것이다. 모든 것을 길게 보고 접근해야 한다. 마라톤처럼 장기적인 시각을 갖고 행해야 할 것이다. 무심하고, 때로는 무책임하고, 이기적으로 행동해야 자신을 지킬 수 있다. 그 오랜 시간 동안 그렇게까지 살아남아야 했던 이유는, 자신을 지켜야 했던 이유는 무엇인지 곰곰이 생각해 보라. 중요한 것이 무엇인지 알겠나.

"성당에 대성전이나 소성전에서 미사나 기도를 드릴 때는 주님께서 직접 오시기 때문에 평소보다 좀 더 거룩해지는 것인데, 평소에도 거룩함을 충분히 느끼고 있었다면 당연히 불편하게 되는 것이다. 자신을 소중히 하라."

2024년 1월 8일

존재가 거룩해지고 강화된다는 것은 두터워진 정신과 함께 하느라 생활 속에서 약간의 불편함이 있지만, 내면과 더욱 활발하게 소통할 수 있어서 진정한 믿음을 갖게 된다는 것을 말한다. 언제나 함께하고 있다는 생각이 강하게 들기 때문에, 외부에서 정보를 찾으려고 하기보다, 언제나 내면에 질문하고 해답을 얻어 살아갈 수 있다. 덕분에 좋지 않았던 많은 습관들이 사라져간다. 아무것도 하지 않고 명상하는 시간도 자연스러우니, 스마트폰도 멀리하게 된다. 진정한 믿음을 갖기 위해서는 성령님이 내리셔야 하는 것이구나. 그동안 내적 소통이 긴밀하지 않아서 어려움이 있었던 것이구나.

이제는 좀 더 돈을 벌거나 명성을 얻기 위해서 애쓰기보다, 하느님이 안내하는 길을 묵묵히 걸어가는 것을 생각하고 편안히 쉴 수 있다. 그로써 지나친 욕심으로부터 자신을 지킬 수 있다. 덕스러워진 정신과 잘 지내기 위해서 생활 습관을 조정하고 다스려 나가자. 자연스러운 의식의 변화에 감사한 마음으로 기쁘게 받아들이자.

 너무 거룩해져서 성당에 가지 못한다는 말을 사람들에게 한다면 반감을 살 것이고, 머리가 무거워져서 성당에 못 간다고 말해도 성스러운 성당을 기피하는 불경한 존재라고 생각할지도 모른다. 하느님은 나의 정신을 불편하게 하면서까지 성당에 가지 못하게 막고 계시는 것 같다. 건강이 나아진다면, 지난번처럼 또다시 성당에 가려고 할 수 있기 때문이다. 나에게는 지나친 것이 독이라는 결론을 내렸다. 천주교에서는 지나치게 하다가 하느님을 위해서 순교하라고 말하며, 그것이 가장 영광스러운 것이라고 말할지 모르겠으나, 나는 그러고 싶지 않다. 그들에게는 나 개인의 건강보다 하느님을 위한 조직의 영속이 더 중요할 수 있기 때문이다. 오래된 질서에 속해있는 모든 것에 대해서 거리를 두어야 새로운 질서를 주장하는 데에 눈치 보지 않을 수 있다. 지난번에도 결론 내렸듯이, 새로운 사람이 오래된 질서에 머무르려고 한다면, 모두가 몰락으로 가는 길이다. 새로운 사람은 하느님이 허락하신 새로운 질서를 향해 나아가라. 순수하고 본능적인 기록이 희미하게 그리는 미래가 분명히 있을 것이다. 나는 그동안 썼던 글을 다시 읽어보면서, 정신이 원하는 미래의 모습이 무엇인지 가늠해 보는 시간을 가질 것이다. 자신을 소중하게 여기지 않으면, 누구도 나를 소중하게 대하지 않는다. 자신을 소중히 지켜라.

나의 정신은 도가 가는 역사의식에 공명하기 때문에, 진리를 미리 알아보고 미래를 끌어당길 수 있다. 내가 바라보는 종교의 미래는 많은 인류가 수행과 교회의 성사를 통해서 하느님에 대한 진정한 믿음을 갖고 영적으로 성장한 이후에는, 스스로 하나 됨을 이루어 더 이상 교회에 나가지 않아도 사랑과 건강을 추구하며 영적으로 행복하게 살아가는 것이다. 인류는 내가 경험했던 영적 여정의 길을 따라갈 것이라고 생각한다. 나는 '먼저 온 자'이기 때문이다.

2024년 1월 9일

하느님이 그동안 인류를 고통 속에서 희생시킨 것은 중요한 가치를 깨닫게 하기 위함이 아니었을까. 이제는 인간들이 많은 것을 깨달았으니, 하느님이 인간의 행복을 바라게 되었다는 점이 중요한 부분이다. 죽어서 하느님을 기쁘게 만나기보다, 현생에서 하느님과 소통하고 만날 수 있기 때문에 더 이상 순교나 희생 제물을 바라지 않으실 것 같다. 나는 건강에 집중하며 살아가야 할 것이다.

참고 자료

-남사고, "격암유록 (마지막 해역서)", 무공(해역), 좋은 땅, 2013

-최진석, "최진석의 대한민국 읽기", 북루덴스, 2021

-이한우, "논어로 중용을 풀다", 해냄, 2013

-최연혁, "민주주의가 왜 좋을까?", 나무를 심는 사람들, 2019

-최연혁, "좋은 국가는 어떻게 만들어지는가", 시공사, 2016

-송길영, "시대예보: 핵개인의 시대", 교보문고, 2023

-정영록, "스트레인지 뷰티 (Strange Beauty)", 부크크, 2019

-정영록, "나를 찾아서 The First Diary", 부크크, 2021

-정영록, "믿음의 길 The 5th Diary", 부크크, 2023

-안경전, "이것이 개벽이다(상)", 대원출판, 1983

-송창민, "진정한 보물", 송창민 학술원,

https://blog.naver.com/lovestudy78/223166270905

-최연혁, 신동아, "박근혜·문재인·윤석열 낙제점, 노무현은 交感 잘했지만…",

https://shindonga.donga.com/Print?cid=4504219

-현대인의 사주산책, "월공귀인 성격, 특징, 보는 법 응용",

https://sajuabc.com/월공귀인/

-Pasteve, 시온, https://pasteve.com/church-of-god/bible-truth/zion

-이상국, 더뷰스, "백성은 임금이 잘난 걸 존경하는 게 아닙니다.",

http://www.theviews.co.kr/news/articleView.html?idxno=1063

-와이낫 라쿤, "서태지 세대, 대한민국 상위 0.1% 직업 꿰찼다",

https://post.naver.com/viewer/postView.nhn?volumeNo=30232181&membe
rNo=47852684&vType=VERTICAL

-일원동 성당, "전신자 특강 (베네딕토의 영성과 시간전례) (2023년 10월 11일) 성
요셉성당 (일원동)", https://youtu.be/lr02P0cBSvM?si=EQ8jaC9cdbuQWByT
-강미은TV, "진짜 이런 일이 일어난다고? [강미은TV 방구석외신]",
https://youtu.be/8OiRdiI1FGs?si=u0_kB9k-ri2UgWQU
-이연LEEYEON, "당신의 매력은 무엇인가요?",
https://youtu.be/yI2aB39kKXo?si=-hDl5hZ4BrjmA_E3
-엠티어, "11월 계해월이 오기 전 반드시 해야 할 일, OO이 없으면 필수!",
https://www.youtube.com/live/80maUkUU08Q?si=NKhLeHNnpwQpgNN_
-닥터프렌즈, "지금 한국에서 예민한 사람들이 성공할 수 있는 진짜 이유",
https://youtu.be/B8xiAVjyTEU?si=95fuIRmcNHlLHXGj
-장동선의 궁금한 뇌, "권력자가 부패하는 건 인간의 본능입니다.",
https://youtu.be/h0yG0TIKvow?si=1FpRB7e8EtQEpanG